만화 STUDIO LICO   원작 비가

5

이 책은 웹툰 「화산귀환」 34화~43화의 편집본입니다.

화산귀환
華山歸還
5

작품의 고유 특성을 해치지 않도록
대사 및 효과음의 맞춤법은 웹툰 연재본 표기를 따랐습니다.

목차

제11장

34화
35화
36화

흐으음….

화음의 사업장들은 앞으로 제가 맡겠습니다.
화산이 앞으로는 돈에 대한 걱정을 하지 않도록 할 것입니다.

단, 두 가지 조건이 있습니다.
조건이요?

첫 번째 조건은,
번 돈을 축적하지 말고
화산의 발전을 위해 모두
사용해 주십시오.

예…
그 조건이라면
저도 같은
생각입니다.
지금의 화산은
축재할 단계가
아니지요.

두 번째는

삼대 제자인
청명을
우대해 줄 것.

……
우대라는 게
참 불명확한
단어로군.

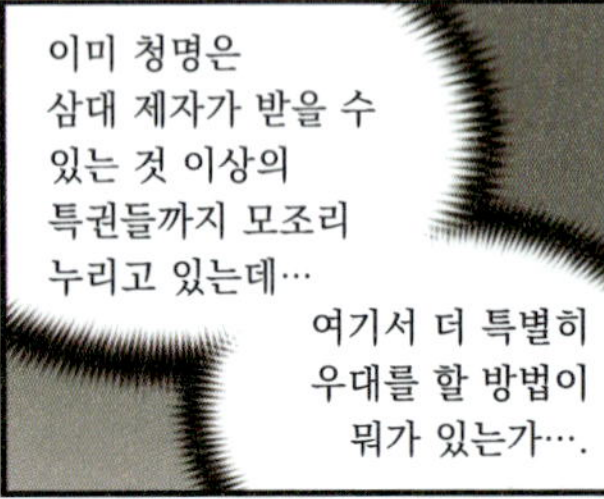

이미 청명은
삼대 제자가 받을 수
있는 것 이상의
특권들까지 모조리
누리고 있는데…
여기서 더 특별히
우대를 할 방법이
뭐가 있는가….

흐으음…

저번에 청명이 발견한
비급서의 무학들을
미리 익히게 해 주는 건
어떻습니까?
음?

낙화검과 칠매검
말입니다.
연구가 끝나는 대로
청명에게 익힐
권한을 주는 것이지요.

오오…?
그거
괜찮은 생각
안 됩니다.
뻥─!

…….
하아..

아니, 또 왜.
뭐..
뭐가 불만인데
또.

상이란 그런 게
아닙니다.
그게 무슨
상입니까?
…응?

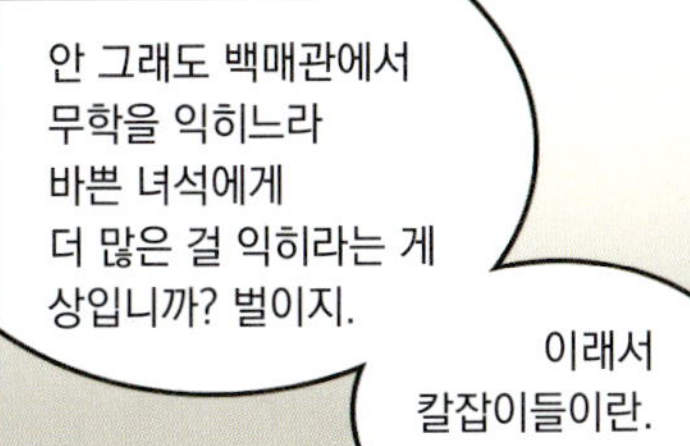

안 그래도 백매관에서
무학을 익히느라
바쁜 녀석에게
더 많은 걸 익히라는 게
상입니까? 벌이지.
이래서
칼잡이들이란.

대화가 좀
이상하게
흐르는데…?

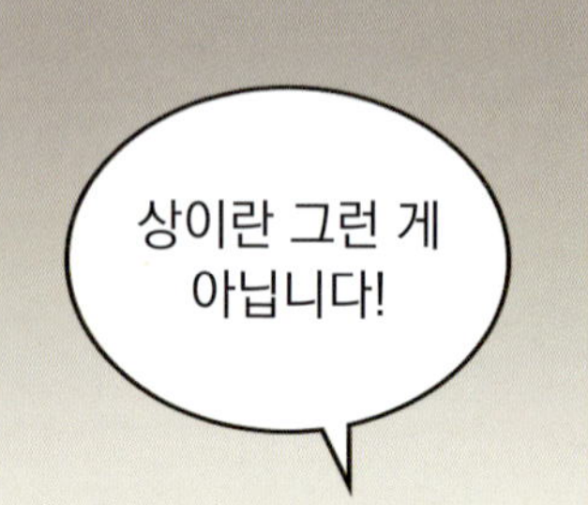

상이란 그런 게 아닙니다!

가지고 있는 것 중에 줘도 손해가 없는 걸 던져 주는 게 아니란 말입니다!
주는 사람도 내어 주기 아까운 걸 줘야 제대로 된 상이라고 할 수 있는 겁니다!
무슨 소린지 아시겠습니까?!

쾅!

…….

이놈이 갑자기 왜 이러지?
이전 회의까지만 해도 벌을 줘야 한다고 노골적으로 주장하더니….

이게 보통
공입니까?!
벌떡!
움찔
그 아이가
황 대인을 구한 덕분에
화산에 돈이…
아니,
막대한 후원이
들어왔고!
또한 황 대인께서
사업장 관리까지
해 주겠다지 않습니까!

그것도
무료로!!
……．

……그
때문이었군.

현영,
재경각주.

재경각은 화산의 살림을
도맡아 하는 곳이다.

그리고 그동안의
재경각은 단 한마디로
표현할 수 있는 곳이었는데…．

그야말로 지옥이었다.

망해 나자빠지는 문파의 돈을 관리한다는 게 얼마나 끔찍한 일이겠는가?

그나마 지금까지 문파의 모양이라도 유지할 수 있었던 건 구 할이 재경각주 현영의 공이었다.

후우…
그럴 만도
하지.

현영이 이제껏
버티고 버티며
바라 왔던 건,

매달 쓸 만큼 쓰고도
남을 만한 돈이
들어오는 지금 같은
상황이었을 것이다.

그러니 이 상황을
만들어 준 청명이
얼마나 이쁘겠는가….

제대로 된 상을 줘야 합니다!
그래야 저놈이 또 어디 가서 공을 벌어 올 것 아닙니까!

공은 벌어 오는 게 아니라 세우는 걸세….
여하튼!!

장문인! 이놈은 재신(財神) 입니다!
쾅!

제대로 된 상을 주고 자꾸 밖으로 돌려야 또 공을 벌어 온단 말입니다!
이번에 이놈이 벌어 온 돈이 얼만지나 아십니까?

돈이라고는 동전 한 푼 못 벌어 오는 저 쌀벌레 같은 놈들 사이에서!!
이런 녀석이!!

이런 기이이이특한 놈이!!! 예?!!!

무슨 소린지
아시겠냐고요!!

떡

장문인!
큰 상을
내려야 합니다!!
우왁!!
와왁!!
질질질...
큰
사아아앙-!!
떡
......

…다들 이해해 주길 바라네.
워낙에 맺힌 게 많은 사람이라.
…이해합니다.

그러나 재경각주님의 말이 맞습니다, 장문인.

청명에게는 제대로 된 상을 내려야 합니다.
그리고 제자들은 이번에 청명이 어떤 상을 받느냐로 화산의 신상필벌을 짐작할 테지요.
으음.

하면,
어떤 상이
좋겠는가?

그 아이가 화산을
내려가는 것을 좋아하니,
은하상단과의
연락책을 맡기는 건
어떻겠습니까?

하지만 그건
심부름꾼으로
부리는 것이
아닌가?

그걸
상이라 할 수
있겠느냐?

황 대인께서
청명을 어여뻐하시니
갈 때마다 좋은 대접을
받을 것입니다.

아, 확실히
그렇겠구나.

매화검을 미리
하사하는 건
어떻습니까?

화산의 상징이
담긴 검이니
좋아하지 않겠습니까?

으음.

그게 아니면
서고에 마음대로
드나들 수 있게
해 주는 것도….

아뉘이!!!
그냥
돈을 주라고,
돈으을!!!
뻘
컥
돈만 있으면 할 수 있는 걸
뭘 고민을 하고 있어,
이 답답한 것들아아악!!!

텁
우웩!!

턱

……

…어쩌 갈수록
화산이 이상해지는
것 같군….

터벅
터벅

터벅...
연기 잘하시던데요?

이제 한배를 탄 몸 아니겠습니까?
한배라….

운이 좋아 상단주님을 구하기는 했지만, 제가 뭐라고 단주님과 한배를 타겠어요.
이제 장문인과 이야기를 하셔야죠.

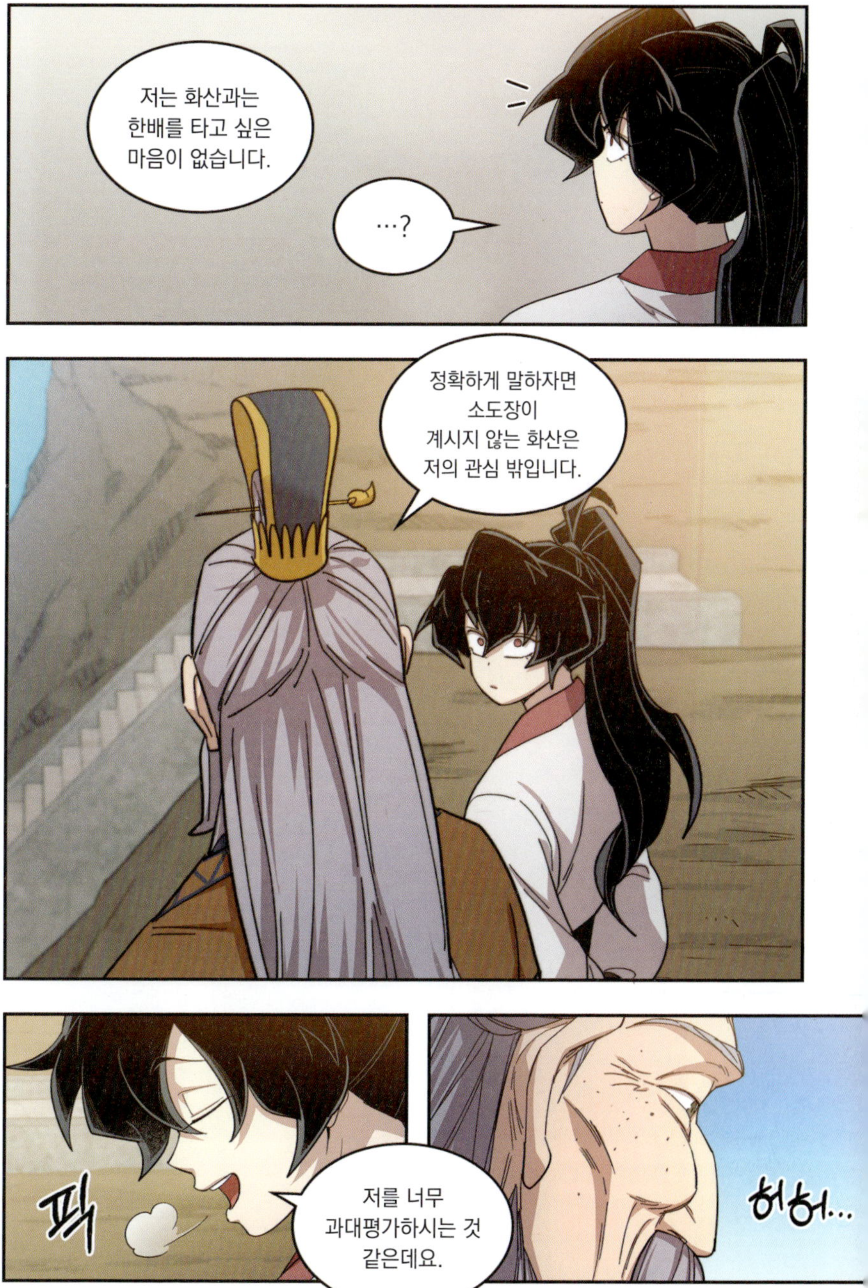

정확하게 말하자면 소도장이 계시지 않는 화산은 저의 관심 밖입니다.

소도장.
저는 평생을
상인으로
살아왔습니다.
그리고
죽는 그날까지
상인으로
살 테지요.

이런 제가
상인으로서 가진
단 하나의 무기가 있다면
그건 사람을
보는 눈입니다.

제 눈이
그릇되었다면 이미
저는 망했을
것이고,
설사 여태껏
운이 좋았다 한들
언젠간 분명
주저앉겠지요.
억울할 것도,
아쉬울 것도
없는 일입니다.

하지만 혹여
제 눈이
정확하다면…

은하상단과 화산,
모두 좋은 일이
벌어지지
않겠습니까?

굵적
그래요,
뭐.

여하튼
한배를 탔다거나
그런 말은
하지 말죠.
제가 그런 말은
별로 좋아하지
않아서요.
어째섭니까?
턱

입바른 말을
하는 이들은
꼭 뒤통수를
치더라고요.

스윽..

이제 와 그런 말을
좋아할 리가 없지.

천하를 구하기 위해
나선 우리들을 찬양하고
눈물 흘린 이들은
수도 없이 많았지만

그들 중 누구도
끝내 화산에 온정을
베풀지 않았으니까.

저도 그런 말은
썩 좋아하지
않습니다.

상인에게 있어서
배란, 언제든
타고 내릴 수 있는
것이지요.

하나,

목적지가 같다면
굳이 배에서
내릴 필요도
없지 않겠습니까?

이로써 같은 곳을
바라보고 있다는 건
확실해졌군.

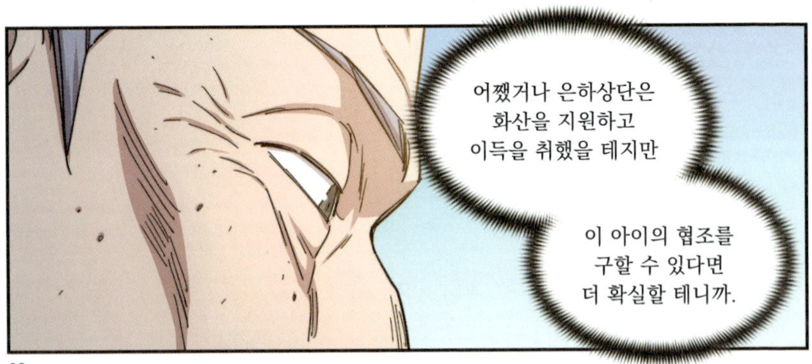

이 아이의
머릿속에서
화산은 이미
발전하고 있다.

자신이 있는 이상
화산은 반드시
부활한다고
생각한다 이거지?

어마어마한
자신감이군.

은하상단은 최선을 다해 화산을 지원하겠습니다.
그 말의 의미를 아시지요?

뭐… 종남과 척을 지겠다는 건가요?
그렇습니다.

설마 요구한 적도 없고, 원한 적도 없는 일에 대가를 바라고 말씀하신 건 아니시죠?
그렇다면 좀 몰염치한 것 같은데.
대가는 바라지 않습니다.

허어
그저 도장께서 알아주시기를 바랄 뿐이지요.
아아, 네. 뭐 그 정도야.
하하

하하하
허허허

눈치도 더럽게 빠르군. 이런 능구렁이 같은 놈….
뼛속까지 장사치 같은 게 어디 사람을 등쳐 먹으려고.
하하하하
허허허허

....
...소도장.

도장은
뛰어납니다.
아마 도장의 나이에
도장 같은 사람은
천하를 뒤져 봐도
찾을 수 없겠지요.

내 나이에 나 같은
사람이 없는 게 아니라,
그냥 천하를 뒤져 봐도
나 같은 사람은
없다, 짜샤.
죽었다 살아난
사람이 나 말고
또 있겠냐?

하지만 소도장은
자신을 좀 더 감출
필요가 있습니다.
!
천하는
무서운 곳입니다.

소도장이 튀어나온
못처럼 자신을 드러내는 순간
정을 들고 달려드는 이들이
넘쳐날 것입니다.

*자기 이익을 위하여 볼썽사납게 싸우는 것을 비유하는 말.

절 너무 대단하게 보시네요.
그냥 꼬맹이일 뿐인데.

허어…

그럼…
이만 가 보겠습니다.

타박 타박…

아, 잠시만요.

몇 가지
알아다 주실 게
있는데.
가능하시죠?

타박...

타박
타박...

보이지가 않는다.
속으로 무슨 생각을 하는지.
스윽...
겉으로 드러나는
어린 치기마저도 진짜인지
아닌지 알 수가 없다.

아주 숫제
괴물이로군.

화산이라……

스윽…

차라리
용소(龍沼)라고
하는 편이 낫겠군.

아무도 주목하지 않는
화산이라는 못에
용이 살고 있다는 걸
누구보다 먼저 알아챘다.

이 정보를 잘만 이용한다면
은하상단이
천하제일 상단으로
발돋움할 수도 있겠지.

대화는 잘
나누셨습니까?
으음.
타박...

…종의야.
예,
아버님.

생각이 또 조금
바뀌었구나.

…할 일이 많겠구나.

가자.
터벅

판을 깔아 봐야지.
터벅
터벅
터벅

현종이나 다른 화산의
장로들을 상대하는 거랑은
완전히 딴판이군.

...하긴,
아귀다툼이 벌어지는 상계에서
평생을 살아온 자니
도인들과 같을 리는 없겠지.

화산이 날아오르는 데 있어
가난이라는 가장 큰
방해물은 치워 냈다.

이 순간,
종남을 욕하고
있을 때가 아니다.

은하상단의 힘은
과연 대단했다.

화산의 모든 제자들을
동원하고도 어찌하지 못해
망해 가던 화음의 사업장들을
빠르게 안정화시켰고,

몇십 년 만에 찾아온 안정.

화산의 시간은
잔잔히 흐르는 물처럼
평온하게
흘러가고 있었다.

그렇지 않은
이들도 있었지만.
자,
마지막이다~.

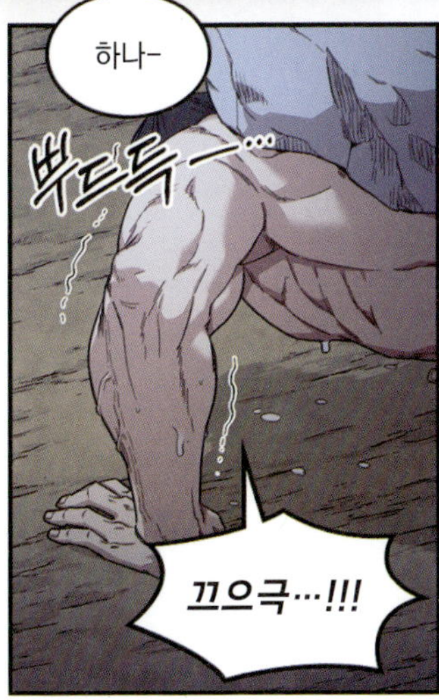

하나-
뿌드득-…
끄으극…!!!

두울-.
으라아아아!!!!

자, 마지막 하나 더~.
마지막이라매!!!
이러다 죽겠다고!!
아직 죽은 사람 없잖아?
저이씨….

슈육
?

크으윽…!

씨익…
뿌드드득…
두울-.
으그그극…!!!

으
아
아 아

와아아….
허억…
허억…
…

빙긋
…참 기이한 일이다.

…난 처음 새벽 수련을
시작할 때만 해도
나름 걱정이 많았다.
매일 새벽!!
같이 몸 한번
만들어 보자고요,
떡
사형
새끼들아!!!

이 단순한 신체 단련이
정말 효과가 있을까 하는
의구심 때문이었다.

화산의 검은 기본적으로
변검과 환검의 쾌속함을
바탕으로 하기에,

단순히 힘을 키우는
수련법들은
화산의 검을 펼치는 데
방해가 될 거라 생각했다.

흑

하지만 웬걸,
막상 신체가 단련되자
검이 두 배는 빠르고
날카로워졌다.

눈에 보이는 변화.
그것이 날이 갈수록
수련을 즐기게 만들었다.

예전엔 모두가
새벽 수련 시간이 끝나기만을
학수고대했지만,

이제는 오히려 시간을
넘기면서 수련하는
이들까지 생겨났다.

아침 먹기 전까지
정상 찍고
돌아가자!!

오늘은 내가
일 등 한다!!!

우리는
달라졌다.

…다만 한 가지.
울끈!
으허허!

불끈!
껄껄껄!!

수련의 강도는 겨우 이 정도인가!
돌덩이 하나 더 올리시죠, 사형!!
울끈
불끈
……
다만 한 가지.

화산이 점점
산적 소굴처럼 변해
가고 있다는 느낌은
지울 수가 없다.

여기가 화산인가,
*화산채인가….

*산적 소굴.

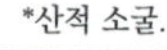

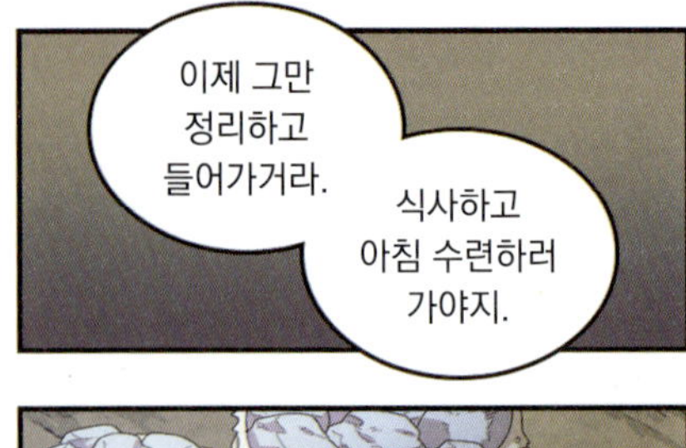

이제 그만
정리하고
들어가거라.

식사하고
아침 수련하러
가야지.

예,
대사형.

그런데…

청명은 오늘도
안 나왔느냐?

예,
요즘 수련에 잘 안 나오잖습니까.

…하긴.
우리가 자체적으로 수련하기 시작하고부터 수련 시간에 잘 안 보이긴 했지.

…그렇다고 자는 것도 아니고, 항상 제일 먼저 일어나는 것 같긴 하던데.
대체 어딜 쏘다니는 거지?
또 은하상단을 간 게 아닐까요?

화산이 안정되고 난 후엔 은하상단을 자주 오가고 있으니까요.

사실 화산에서 제일 바쁜 사람이 청명 아닙니까?
맞아, 그랬지.

…그나저나 사형.

사형은 체감하실 수 있으십니까?
지금 우리가 얼마나 강해졌는지.
…글쎄….

강함이란 상대적인 것이니 스스로 얼마나 강해졌는지 알기 위해선 잣대가 필요한데…
사형제들이 모두 같이 성장하다 보니 체감하기가 힘들구나.
그래도… 청명 놈이 나타나기 전보다 두 배는 강해지지 않았을까?

겨우
두 배요?

그것들
가만히 두거라.

…여튼,
모르지.

두 배라는 말도
좀 추상적이니까.

확실한 건 나는
예전의 나를
셋 정도는 상대할
자신이 있다.

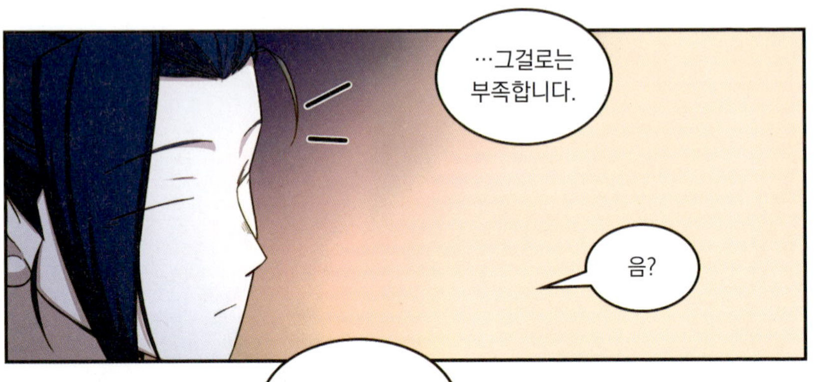

…그걸로는 부족합니다.
음?

아시잖습니까,
곧 '회'가 온다는 것.

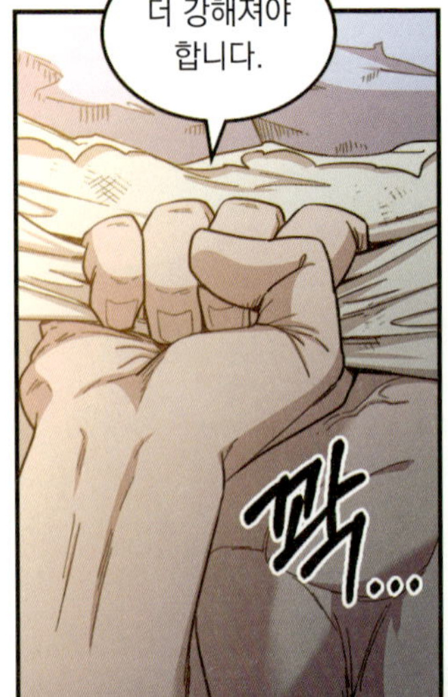

더 강해져야 합니다.
꽉…

훨씬… 더요.
……

씨익...

…좋다.
그럼
청명 놈이 돌아오면
조금 더 굴려 달라고
해 보자꾸나.

예, 사형.

스윽...

벌떡

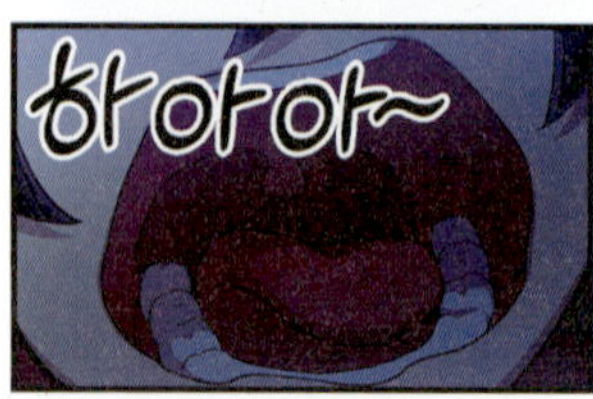
하아아~

픔.
터벅
터벅

아무리 강해지기 위해서라지만
애들 피해서 새벽마다 이게 뭐 하는 짓인지….
터벅
터벅
터벅

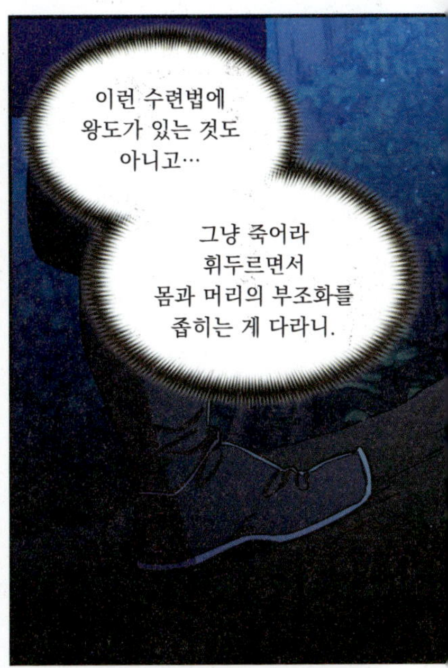

이런 수련법에 왕도가 있는 것도 아니고…
그냥 죽어라 휘두르면서 몸과 머리의 부조화를 좁히는 게 다라니.

이거 참 방법이 단순하고 무식하단 말이지.

신검합일(身劍合一).

쏴아아—...

지금 내 검은 과거의 육체와
완벽하게 신검합일이
이뤄져 있다.
탓

따라서 그럴싸하게
모양새는 따라 할 수 있지만,
과거처럼 완벽하게
해낼 수는 없다.

어설프게
흉내 냈다가 부작용을
경험하기도 했고.

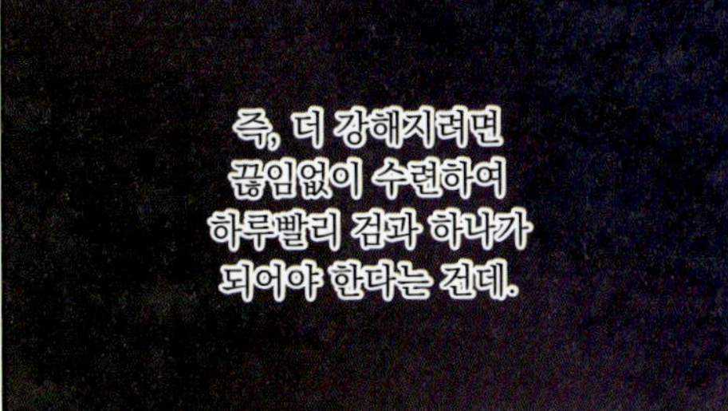

즉, 더 강해지려면
끊임없이 수련하여
하루빨리 검과 하나가
되어야 한다는 건데.

문지는 이놈들 앞에서
마음대로 검을 펼치며
수련을 할 수가
없다는 거다.

마음먹고
제대로 수련했다간
화산 전체가
뒤집어질 테니까….

타박
타박

쯧…
앓느니
죽어야지.

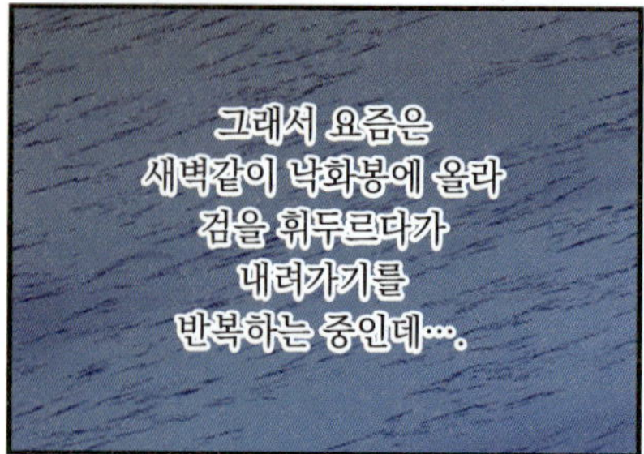

그래서 요즘은
새벽같이 낙화봉에 올라
검을 휘두르다가
내려가기를
반복하는 중인데….

음?

슈아악
쉬이잉

피이잉—
사락…
이 시간에
나 말고
누가 여길…?
촤악!!

쏴아아…
하아…
하아…

후
우웅!

부드럽지만 힘차고,
화려하지만 단아한…

오호…….

월하가인(月下佳人)
이라…?

여리지만,
결코 흔들리지 않는
검무(劍舞).

저 검은
매화와 닮았다.

달빛 아래서 추는
여인의 검무에서
옛 화산의 검이
보이다니…

나 말곤
모두가 잊은 줄
알았는데…….

다른 이들에게서는
볼 수 없으리라 여겼던
화산의 옛 검술이

핑

지금 내 눈앞에서
펼쳐지고 있다.

호호오…

어떤 검술을
익혔냐의 문제가 아니다.

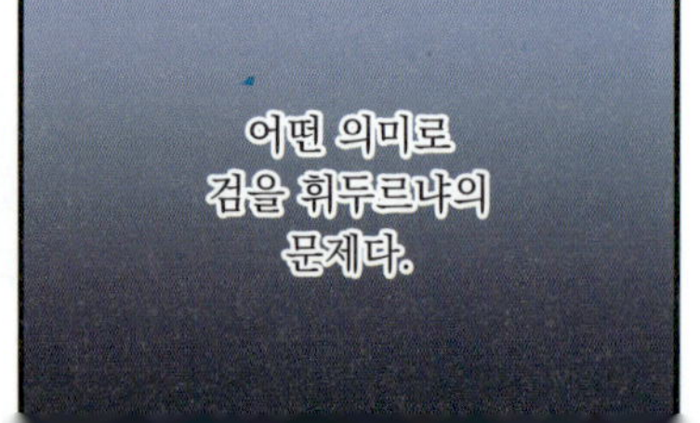

어떤 의미로
검을 휘두르냐의
문제다.

그래, 마치…….
책!
!

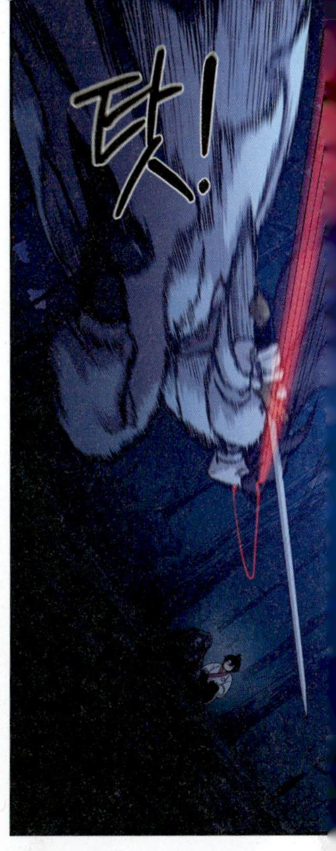

탓!

누구냐!!
쐐
애
액!!

피이잉…

감흥은
얼어 죽을…
이런 아이한테
기척을 들키다니….

매화검존
다 죽었네.

너는 누구?
한 번도
본 적 없는
사람 같은데.

내가 물어보고
싶은 말이다.

넌 대체
누구냐?

헐끔
…일단은
화산 소속의
제자인 것 같은데.

…남자깨나 홀리겠네.

…….
그나저나
이 여자….

이전 생에서
나이가 팔십이 넘도록
강호를 누볐지만

쏴아아…

그 많고 많았던
강호행 중에서도
이만한 미인을 목격한
경험은 거의 없다.

나조차 아직 약관이 되지 않은
어린 나이였다면 지금쯤
저 미모에 압도되어
허둥댔을지 모를 정도.

…예쁘네.

…?

정체를
밝혀.

쩍!

주룩…

…….

…화산파
무복.

?

화산의 삼대 제자는
해가 진 뒤에
문외(門外)를 다니는 게
금지되어 있어.

거짓말…!

확인해 보시든가요.
설마 화산의 제자가 장문인의 이름으로 거짓말을 하겠어요?

슥…
그러니까 일단 이 검 좀 치워 주실래요?
따가워 죽겠네.
…….

부웅!

싸아아…

타인의
수련을 보는 건 원래
금지되어 있는
일이야.
척

여긴
어제까지만 해도
제가 수련하던
곳이에요.
갑자기 나타나셨으면서
이 상황을 제 탓으로
돌리면 제가 뭐라고
답해야 하죠?
발견한 순간
떠났어야지.
스윽..

처음 보는 사람이
화산의 주변을
알짱거리는데
확인은 해 봐야죠.

안 그래요?
…….

?
…뭐야.

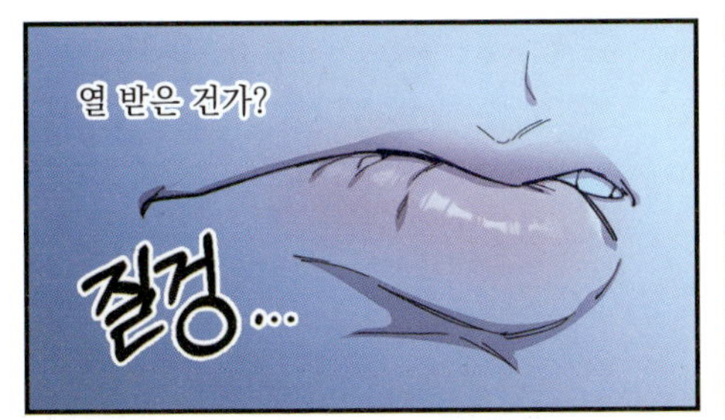

열 받은 건가?
절겅…

왝
얘 말싸움 되게 못하나 보네.
픽

검은 제법 날카로운 것 같지만, 혀는 그렇지 않은 모양이군.

…하기야 이만한 얼굴이면 말싸움할 일도 잘 없었겠지.

더러운 세상.

이름이 뭐지?

청명이요.

도호를 벌써 받은 건가?

아니요, 이름이 청명인데요?

삼대 제자가
청자 돌림인데,
도호가 아닌
이름이 청명?
…?
네.

당연히
도호를 받으면
도호도 청명으로
받겠죠.

아……

그렇겠네….
끄덕
끄덕
…맹하다.
애 확실히
맹하다.

......

스윽...

나는
유이설(劉怡雪).
이대 제자.
네가 화산의
청자 배가 맞다면,
내가
네 사고(師姑).
네?
사고요?
백자 배가
있었어?

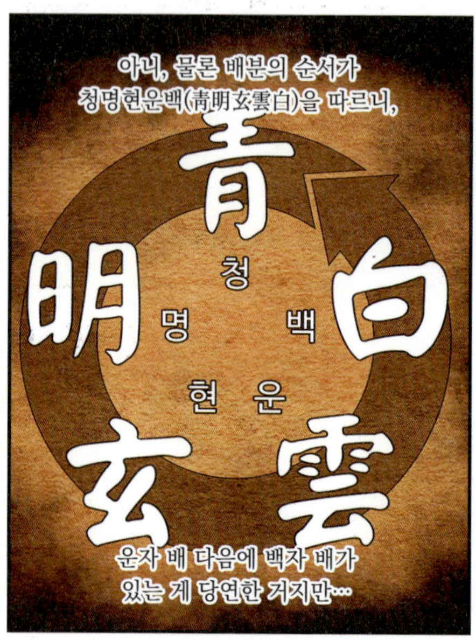

화산의
어려운 사정에 따라
한 배분 정도 건너뛰거나
그런 줄 알았지.

아니, 그보다
이제 좀 가라!
해 뜨려고
하잖아!!
남의 수련장
떡하니
차지하고 앉아서
시간 끌지 말라고!

타박…
네 말이 진실인지
장문인께
확인할 거야.

타박 타박
네가 만약
거짓말을 했다면
각오하는 게 좋아.

힐끗…

…이상한 아이네.
?

…내가?

……??
누가?

…….
아무래도
다른 수련장을
찾아봐야겠다.

…?
뭐지?

뒤적…
뒤적…

후우…

이런 거무죽죽한 분위기는
몇 달 전에 내가
백매관을 뒤집어 놨을 때
이후로 처음인데?

하아아…

분위기가
왜 이래?

음…

네 사숙들이
돌아온단다.

백자 배?
백자 배가
돌아오는 게
뭐가 문제라도
되는 거야?

…우선 사숙들을
백자 배로
칭하지 말거라.

사숙들이
듣기라도 하시면
크게 혼날 수 있어.

내가?
아님 그쪽이?
……그건…
고민을 좀
해 봐야겠는데.

여튼, 사숙들은 그동안
폐관을 위해서
화산을 떠나 있었다.
화산엔 수련동들이
제대로 정비가
되지 않아서
대규모로 폐관 수련을
할 장소가 없었거든.

으음~
근데 그게
뭐라고 애들이
저러고 있어?
설마 사숙들이
하나같이 성격이
개차반이라서 애들을
후려 패기라도 하나?
사숙들은
누구처럼 사람을
패진 않는다.

그 누구가
누군데?

…넘어가자꾸나.

화종지회
때문이야.

화종지회?

꽃이 끝나는
회?

그게
아니라…

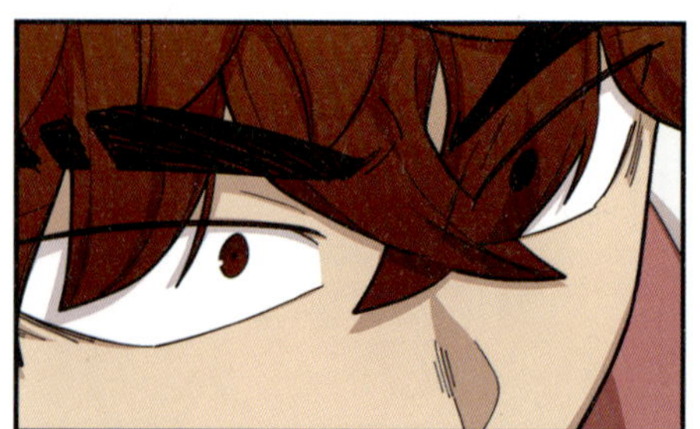

화산과 종남이 이 년마다
한 번씩 모여서 서로의
성취를 비교해 보는
비무 대회를 여는 걸
말하는 거야.

아, 뭐
그런 게 있다고
들었던 것 같긴
한데.

화산과
종남의 회.

처음엔 오 년마다 한 번씩 모여 친목을 다지는 자리였다고 들었다.
그게 조금씩 변해서 이대 제자와 삼대 제자들의 교류의 장이란 명목으로 비무를 하는 상황까지 가 버린 거지.
일방적으로 얻어맞기만 했지.
이 년 전에 맞은 허리가 아직 쑤시는데….

그런데 이게 비무라고 해 봐야…….

이번에는
또 어떻게
버티나….

웅성

웅성

개박살이 나고 나면
사숙조님들은 또
얼굴에 철갑을 쓰고
다니셔야 할 텐데….

웅성

웅성

그러면 분위기도
개판이 날 테고.

웅성 웅성

아,
그러니까.

윗분들이 직접
싸우면 일이 커지니까,
이대 제자랑 삼대 제자들만
싸운다고?

맞다.

그리고 그동안은
일방적으로
얻어맞기만 해 왔고?

그래서 이번에는
치욕을 당하지 않겠다고,
사숙들이 단체로 폐관에
들었다가 이제
돌아온 거지.

다시 말하면 화종지회가 열릴 때가 왔다는 거다.
아, 그래…?
종남이랑 비무를 한다는 말이지? 
씨이익…

나 때는 없던
비무 대회가

마침 화산이
약해진 틈을 타
열리고 있다고?
으 직!!

이것들이 화산이
만만해졌다 이거지?
아무리 화산이
개판이라지만,
내 새끼를 남이 까는
꼴은 절대 못 보지.

그럼 그 사숙 놈들이
폐관했다 돌아왔으니
이길 수 있는 거야?
사숙 놈들…?
……그건…

비무를 대비해
폐관까지 한다는 것
자체가 많이 불리하다는
뜻인데,
성취가 아무리
높다 한들
이긴다고 장담까지
하긴 힘들구나.

그렇단 말이지?
드륵
그럼 우리라도 이겨야지!
퍽!

사형들!
이기기 위해서 무슨 짓이든 할 각오는 되어 있지?!

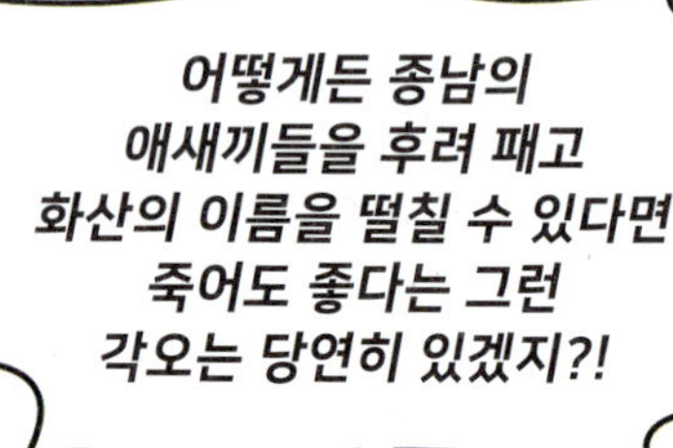

어떻게든 종남의 애새끼들을 후려 패고 화산의 이름을 떨칠 수 있다면 죽어도 좋다는 그런 각오는 당연히 있겠지?!

독을 삼킨다든가!

아니면 팔다리가 부러진다든가!!

......으응?

걱정하지 마!
내가 이기게
해 줄 테니까!!

아주
피떡으로 만들어
버리겠어!
종남파아아!!!
푸드드득…

이대 제자들이
돌아오고 있습니다,
장문인.

몇몇은 이미
화음에 도착한 듯싶고,
대부분은 이제
거의 화음에
도달한 것 같습니다.
으음.

…그런데
장문인…
본디 반년 뒤에나
열려야 할
화종지회가 왜 이리
당겨진 것입니까?

종남에서
연통을
보내왔다.
이번에는 조금
당겨 치르고
싶다는구나.

…그렇다면
회를 미루거나
연기할 수는
없겠습니까?
….

어렵다.
…….

…장문인,
화산은 지금 한창 기세가 오르고 있습니다.

모든 일들이 잘 풀리고, 적어도 밥 걱정은 없이 살 수 있게 되어 가고 있지요.
이건 불과 몇 달 전을 생각하면 괄목할 만한 변화입니다.
으음, 그렇지.

하지만…
저희는 본질적으로 무파가 아닙니까.

새로운 무학들을 발굴해 익히고는 있지만, 아직 제대로 된 성과가 나올 시기가 아닙니다.
설사 성과가 나온다고 해도 아직은 종남에 대적할 정도가 아니지요.

그런데 만약
이번 화종지회의
결과가 전과
마찬가지라면…

이제 겨우
희망을 가지게 된
화산이,
그리고 아이들이…

역시나
안된다는 생각에
패배주의자가 되진
않을까 두렵습니다.

…나라고
왜 그걸
모르겠느냐.

하지만 우리가
화종지회를 피한다고 해서
제자들이 희망을
가지겠느냐?

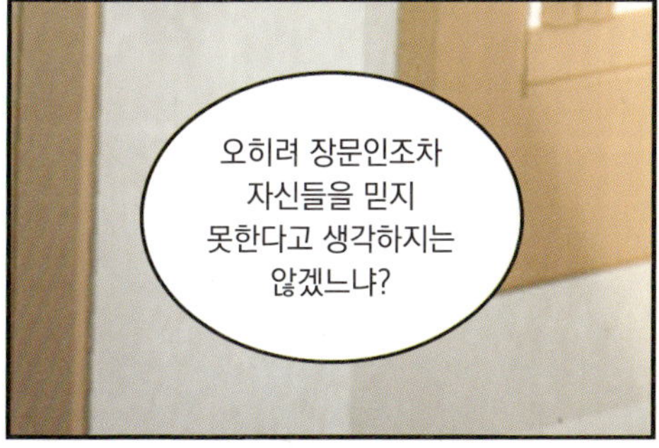

오히려 장문인조차
자신들을 믿지
못한다고 생각하지는
않겠느냐?

…그건…….

이번에도
좋은 성과를 내기
힘들 거라는 건
나도 안다.
종남과의
격차는 이미
메울 수 없을 만큼
벌어졌지.
승부에서 지는 건
부끄러운 게
아니다.
최선을
다했음에도 패했다면
어쩔 수 없는 일이지.
더 노력하면 되는
것이다.

그러나 지지 않기 위해 승부를 회피하는 건, 다른 문제란다.
결코 해서는 안될 일이지.
당장의 안락을 위해서 더 큰 화를 불러들이는 격이란다.

…제 생각이 짧았습니다, 장문인.
…그래.

고생하고 돌아오는 아이들이다.
좋은 음식을 준비하고 술을 풀거라.
예, 장문인.
차질 없이 준비하도록 하겠습니다.

텅…
……

끼익…

심장에
가시라도
박힌 것 같군….

살랑…

숨을 쉴 때마다
아프고,

언젠가는 더 깊이 박혀
숨통마저 끊어
놓을 것 같은 가시……

……

…종남이라….

우리가 종남을
이길 수 있다고?
지금은
안 되지.

그래도
이만큼이나
강해졌는데…?
그래,
세지긴 했지.

한…
요 정도.

…….

ㅋㅋㅋ 아이, 농담이야.
이 정도는 아니지.
역시….
그럼 그렇지~.

한 요 쫌도는 되겠지, 그래도.
뭐가 다른데!!

도토리가 세 배 자란다고 나무에 견주겠어?
크우…

지금 삼대 제자의 성장세가 무섭긴 하다.
이만한 속도로 성장하는 이들은 본 적이 없으니까.

하지만 과거 화산의 삼대 제자와 비교해 보면 아직 한참 멀었다.
그리고 종남에 비해서도….

그래도 우리가 그동안 죽어라고 구른 게 있는데, 겨우 그 정도 세졌다는 게 말이나 되냐?!!
내가 몸으로 느끼는데!!
겨우 몇 달 굴렀다고 세지기는 얼어 죽을.
턱!
턱!
픽

종남이 아직 그때의
실력을 유지한다면
지금의 삼대 제자들 중에
종남을 이길 사람은 없다.

그럼…
…어떻게 이겨?

세지면 되지.

화종지회까지는 이제 길어야 보름일 것이다.
몇 달 동안 수련을 했어도 못 이기는 상대를 보름 만에 어찌 따라잡는단 말이냐?
그러니까 물어봤잖아.
…!

죽을 각오
되어 있냐고.

제 12 장

37화
38화
39화
40화

화산귀환

수련법을
바꾼다고?
웅성웅성…
웅성웅성…

근데 왜 계속
한밤중에
불러내는 거야?
웅성웅성
…전보다 더
힘들어지는 거
아니야?
웅성웅성
웅성웅성…
그래도 결과는
확실하니까
괜찮은 거 같기도….

다 모였어?

둥

그래,
네 말대로 다
모으긴 했다만…

이번에 할
수련이 무엇….
텅!

탓!

스
롱!

워우오오…!!

저, 저거 진검 아니야?
진검 맞는데…?
웅성웅성
웅성웅성
웅성웅성
또 뭔 짓을 하려고…!!

아,
바뀐 수련법?
뭐, 별건 없어.
대단한 건
아니고, 그냥…
쳑!
한 번씩
죽어 보면 돼.

뭐, 저 마진놈이…?!
저, 저 새끼 오늘 날 잡았나 봐…!
누, 눈 마주치지 마!

붕!
…나는 죽어도 못 봐.

종남 새끼들한테 지는 꼴은.
부
릅!
ㄷㄷㄷ….

하지만!
사형들은 이길 수 있어!!
아니! 이겨야만 해!
내가 그렇게 만들어 줄 거다!

ㅁㅁ조, 좋아
그렇게만 된다면 그 바뀐 수련법이 뭐든 끝까지 따라갈게.

그런데… 그게 무슨 소리야? 죽어 보면 된다니?
음.

일단 나와 봐.
……어?

휙!
크흠!

왰!

이 동료애도 없는
개ㅅ끼들….
쒸이이..
빨리 나와!

아, 알겠어…
터벅
터벅

터벅

세지고 싶다고 했지?
…그렇지.

사실 이게 조금 이상한 말이지만…
사형들은 이미 충분히 세졌어.
…응?

그동안 한 수련들이 헛 건 아니라는 거지.
아직 종남에게는 어림도 없다며…?

그건 그렇지.
세졌다는 거야, 아니라는 거야…?

이송백이 그들 중에서
강자인 편이라고 생각하면
종남의 실력은
예전과 비슷하다.

조걸은 승부를
겨뤄 볼 수 있고,
운종은 운이 필요하다.

하지만
다른 삼대들은
절대 못 이긴다.

천운이 따르지
않는 이상은….

아니, 어쩌면…
천운이 도와도 종남을
이기는 그림이 그려지지 않는다.

사실 종남을
못 이기는 건
사형들이 약해서가
아니야.

몸뚱어리는
만들었는데,
예전이랑 똑같은 짓을
하고 있으니까
그런 거지.

…똑같은
짓이라니?

지금 하는 게
뭐가 잘못됐어?

사형은 검을
왜 배운다고
생각해?
…응?
……
그야….

화산에서
말하는 답은 정해져 있다.
검을 통해 몸을 다스리고,
최후에는 도에 이른다.
도문에서의 검은
그저 도에 이르기 위한
수련의 방편일 뿐이니까.

하지만 이놈이
그런 대답을
원할 리는 없지….

…상대를 이기기
위해서…?
크으!!

끄덕 끄덕
도인과는 저언~혀 어울리지 않는, 전형적인 흑도인의 대답!
아~주 좋아!
그냥 뻔한 대답 할걸.

반은 맞았어. 이기기 위해서지.
…….

자, 그렇다면 검으로 이기기 위해서는 어떻게 해야 할까?
촤각…

…더 강해지면 되겠지?
쓱…
맞아.

상대보다 강하면
이기는 거지.

그런데,
이게 조금
의미가 다르단
말이지.
착!
…이해가 좀
어려운데?

사형은 할 수 있는
모든 수를
써 보도록 해.
나는 그냥
내려치기 하나만
할 테니까.

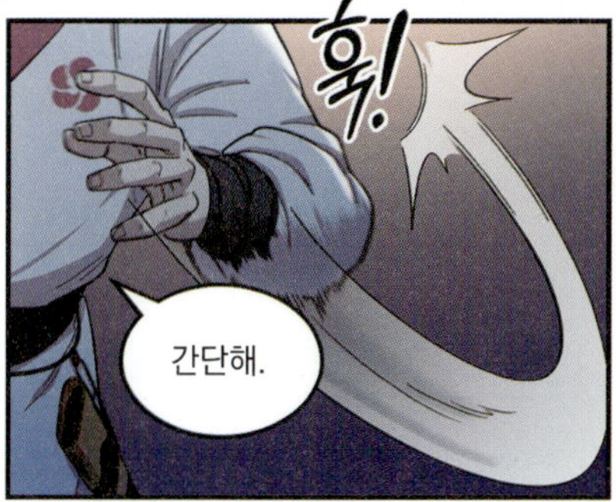

훅!
간단해.

턱!

지금부터 사형이랑 내가 비무를 할 거야.
응…?

……

내려치기만…?
음.
스윽…

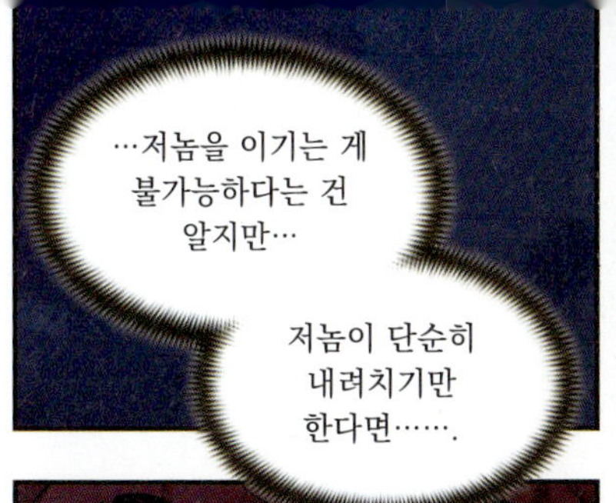

…저놈을 이기는 게 불가능하다는 건 알지만…
저놈이 단순히 내려치기만 한다면…….

그렇다면…
스윽…

쎄익…

쎄
익.
얘기가 조금 다를지도…!

…그런데 넌 진검으로 할 거냐?
응.
…노파심에 하는 말이지만….
에이흫흫.
으쓱

…베지는 안
설마~.

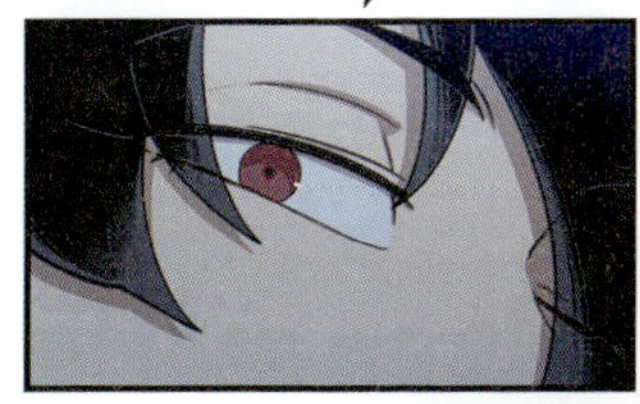

…왜 확실하게 대답하지 않고 얼버무리지?
베지 않겠다고….

…뭔가 생각이 있겠지…?
꿀꺽…

시작하면 되냐?
호오?

사형, 자신감이 좀 붙은 것 같네?
덕분에 죽도록 수련했으니까.

힐끔

자신감이라….

좋지.

간다!
탓!

각오해라!!
후우웅!

사심은 없다아아!!!

부우웅
낙화검
꽝!!

너무 사심 가득인데…?
내가 뭘 그리 잘못했다고.

후욱

펑

파
파
파
파
팡
칠성보

낙화검!!
호오? 벌어진 거리를
칠성보법으로 따라붙으며
낙화검 연계라….

확실히 재능은
있다니까.

재능만으로 따진다면
이송백에게도 결코
밀리지 않을 정도….
자신감을
가질 만하다.

하지만….

탓!
와아아….
…보이기야 그리 보이겠지.
예?
일방적으로 몰아치고는 있지만, 머리카락 하나 건드리지 못하고 있지 않느냐.
부웅!!

조걸 사형이 일방적으로 몰아치는 모양인데…
생각보다 잘하고 있는 것 아닙니까, 사형?

특별한 보법
같은 게 아니다….

탓!
그저 적당히
한발 한발
떼는 것 만으로

붕!
조걸의 검을 모조리
흘려 내고 있다.

어찌보면 잘 짜인 검무처럼
조걸의 검이 청명을 일부러
피해 가는 느낌까지 난다.

그런데…
이게 과연 저 녀석의 움직임을
전부 파악한 거라고
할 수 있을까?

청명이 화산에 온 지 몇 달이 지났지만 누군가와 비무를 하는 모습을 보는 건 이번이 처음이다.
부웅!
공격 한 번 없이 피하기만 할 뿐이지만… 그래도 느낄 수 있다.

청명과 우리의 격이 얼마나 차이가 나는지….

나는 지금 저 녀석의 움직임을 어디까지 볼 수 있는 걸까…?

부웅!!

챡!
헉…
헉…

단 한 치.
허억…
허억…

단 한 치 옆을
스쳐 지난다…!

검이 어디로 올지 아는 듯이
고개를 까딱이는 정도로
내 모든 검을 흘려 내고 있다….

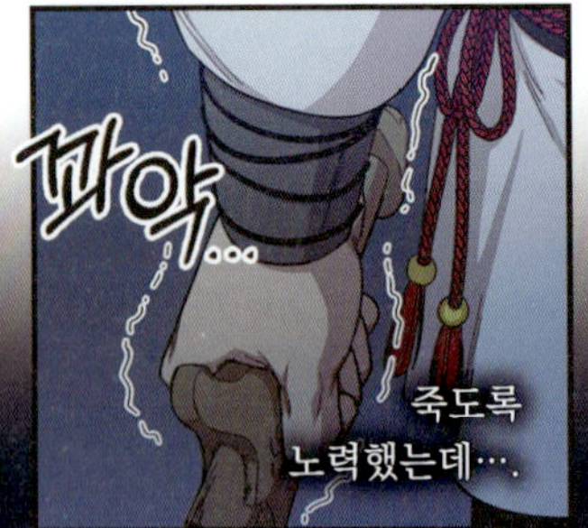

아직 이 정도밖에
전진하지 못했다고…?

…그럴 리가.

그럴 리가.

그럴 리가!
삐잉-

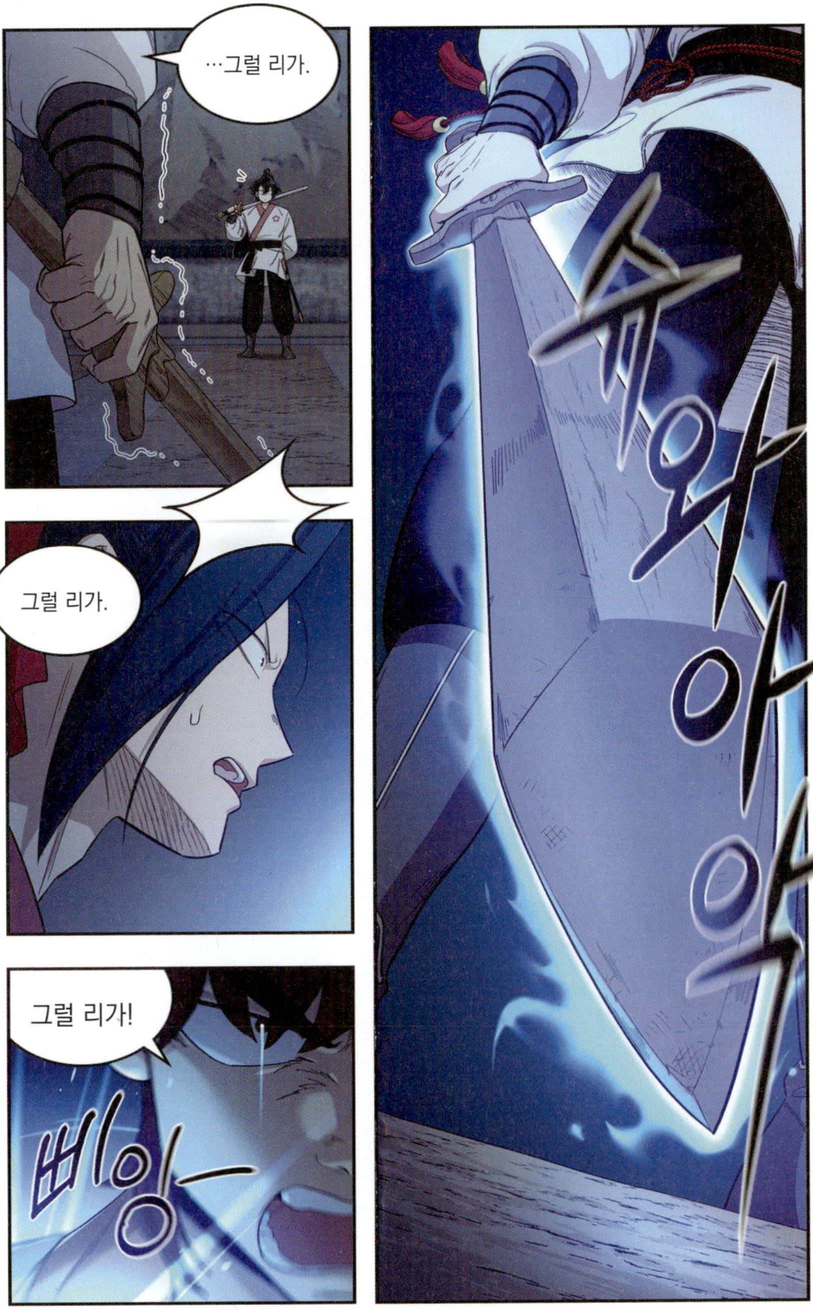

슈
와
아
악

검기?!
헉…
헉…
조걸 사형이
검기를?!
타!!
후
우
욱

터억

붕
쿠쿵!
콰후우우웅

후우우…

투둑…
투두둑…

후두둑…
투둑…
후두둑…
투둑…

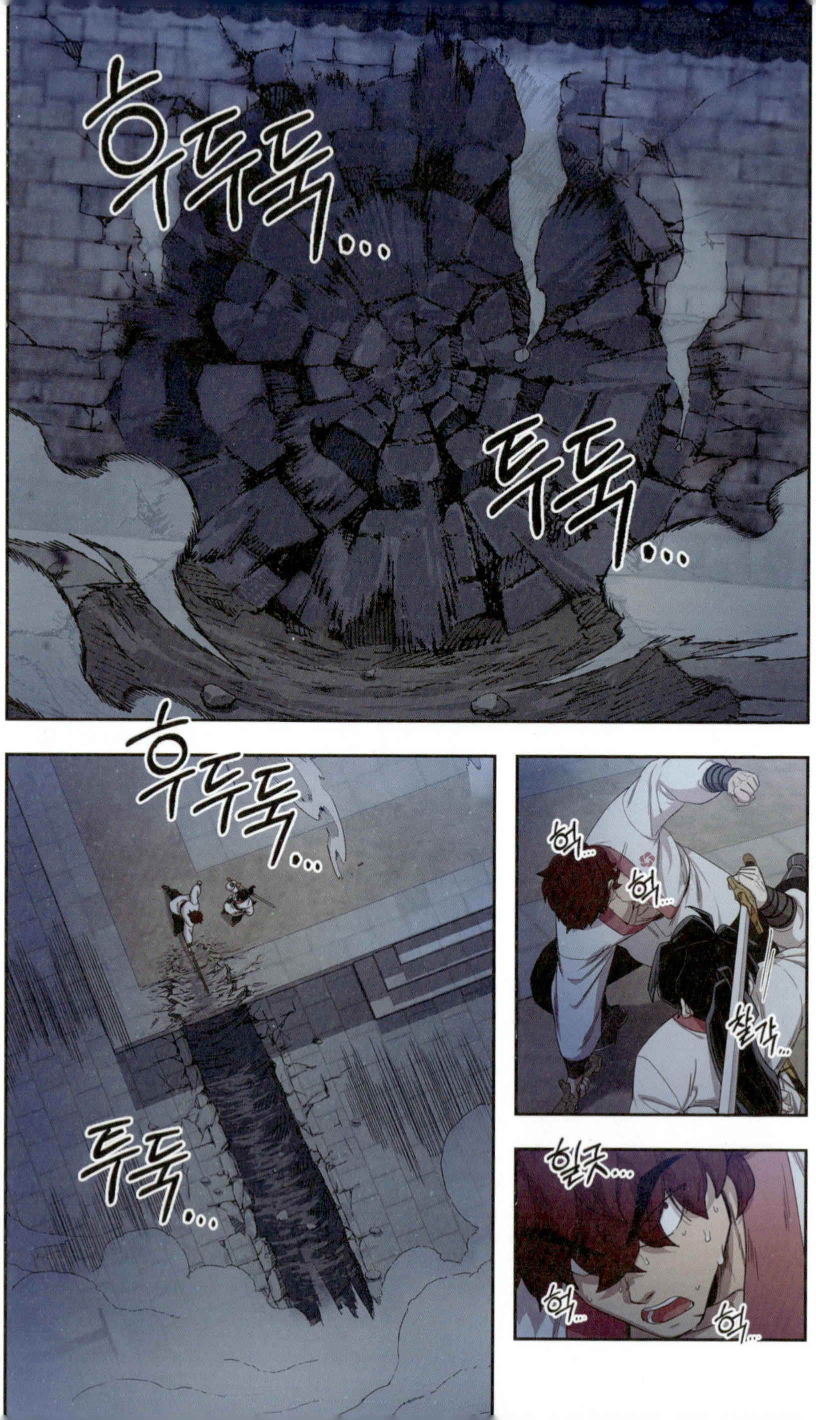

헉…
헉…
철컥…

힐긋…
헉…
헉…

끝이다.

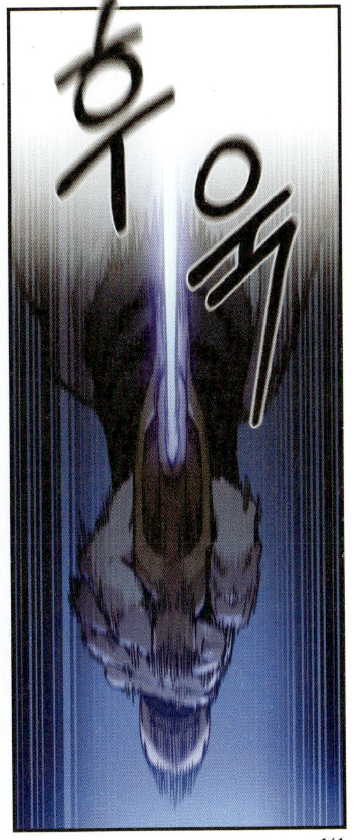

화산귀환

흐응
흐우응...

파
앙

빠아아...

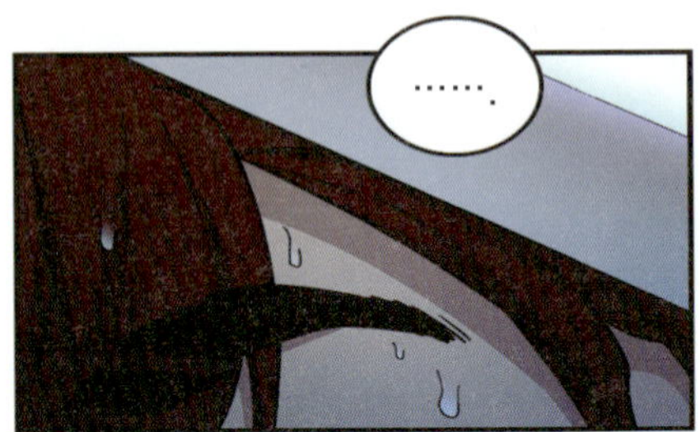
......

풀썩

허어억...
허어억...
덜덜덜...

어때?
허억
허억...

147

다음.

흠칫!!

그런다고
과연 피해갈 수
있을까?

안 오면
내가 가면
되지.

부
름

간다!!
앗!!
타
어어어어?!!

이리와아!!!
우아아아악!!
파앙!!

내려칠 거라고
미리 알려 줬잖아.

이 뻔한 걸
왜 못 막았어?

쿳…!

왜
못 막았지?

……뭐?

휘이이…

그야
빠르니까!

생각하고 막을 수
없을 정도로
빠르고 강하니까
못 막는 거지!!

그거야
세 살 짜리 어린애도
알 일 아니냐고!!

잘 아네.

그런데 왜
사형들은
그렇게 안 해?

…어?

찰칵…

부웅!

후우웅…
간단하지?

…내가 본 검이
이거라고?
응.

며, 몇 배는
빨랐던 것
같은데?
산산
내려친 게
아니고?
자기 머리로
떨어지는 검과
옆에서 지켜보는 검이
같을 수는 없는 법이지.

즉, 사형들처럼
몸을 만들면
누구나 할 수 있는
가장 기본적인
내려치기였다는 거야.

우선은 하체.
단단히 고정한 하체로 몸이 흔들리지 않도록 지지하는 게 우선.
턱
턱

그 힘을 손끝에 전해 내력과 일체화시킨 뒤,

파
앙!

후우우—…
이게
내려치기야.

그냥 빠르고 담백하게
군더더기 없이 일직선으로
내려치는 검일 뿐이다…!

……

눈에 보이지 않는 속도라거나
굉장한 기술 같은 게 아니야….

…네가 무슨 말을
하는 건지는
알겠다.

거기에
일격필살(一擊必殺)의
마음가짐까지.

두 번 검을
휘두르지 않겠다는
각오가 필요해.

한 번에
죽이지 못하면
내가 죽는다는
각오.

어설프게
화려한 검식을
추구하는 것보다

단련된 육체를
바탕으로 간결하게
검을 휘두르는 것이
지금의 우리에게
더 낫다는 거겠지.

…그래서 일일이
보여 준 거로군.

백문이 불여일견이라 했다.
일격필살의 검을
직접 상대해 보는 것과
말로만 듣는 것에는
어마어마한 차이가 있으니까.

지금 이곳에 있는
아이들도 청명의 검이
자신의 머리로

떨어지는 경험을
해 보지 못했다면 쉽게
납득하지 못했을 것이다.

…하나,
청명아.

우리는
화산의 제자다.

화산의 제자라면
응당 화산의 검술로
상대를 쓰러뜨려야
하지 않겠느냐?

……

육합검의
첫 초식이
뭔데?
…내려치기.
육합은
화산의 검이
아니야?
…….
육합은
화산의 기본이자,
화산의 기초야.
스윽…

화산의 모든 것은
육합에서 출발해
육합으로 끝나지.

그런데!
팍

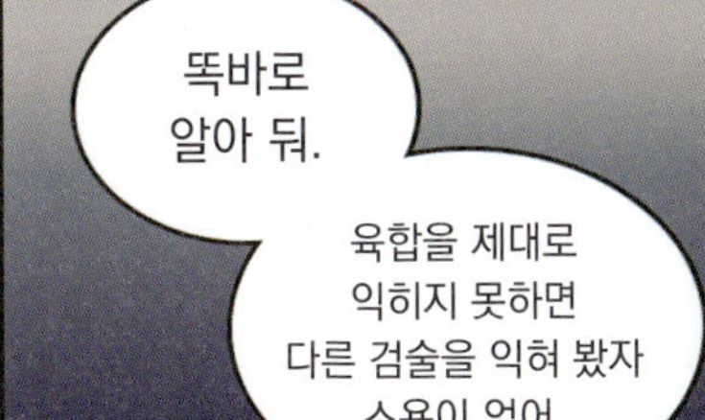
육합도 제대로
펼치지 못하는 것들이
벌써 겉멋만 들어서는
낙화가 어쩌고,
칠성보가 어쩌고!

똑바로
알아 둬.
육합을 제대로
익히지 못하면
다른 검술을 익혀 봤자
소용이 없어.

토대를 쌓지 못한
건물은 작은
바람에도 쉽게
무너지는 법이야.
화산의 모든 검은
육합을 기반으로
하니까.

사형들은 우선
가진 것을 완벽하게
자신의 것으로
만들 필요가 있어.

끄덕끄덕…

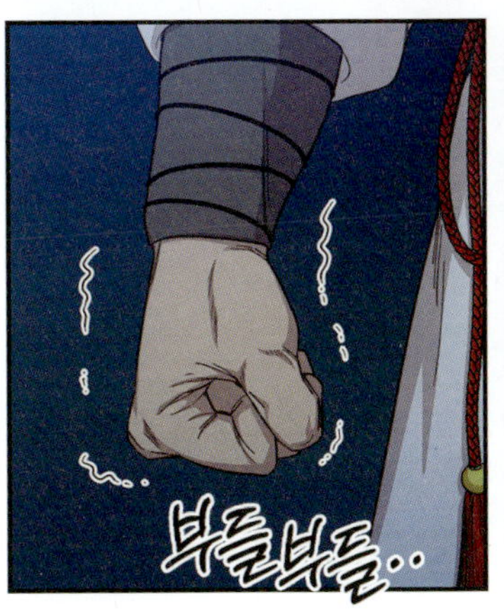

우리는
네가 아니야.

부들부들…

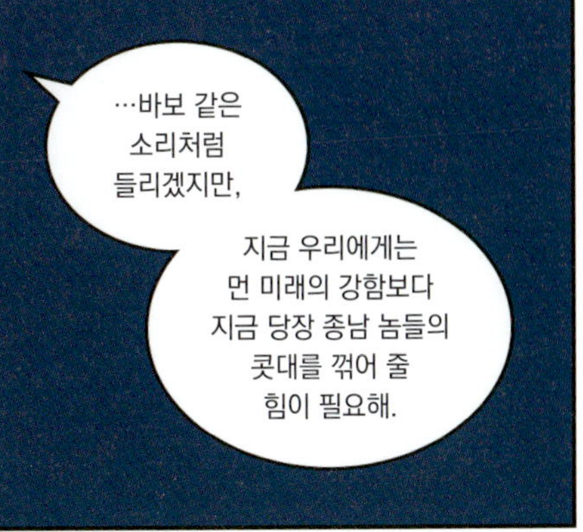

이 중에서
육합으로 이런 힘을
낼 수 있는 건
솔직히 너 뿐이다.

…바보 같은
소리처럼
들리겠지만,

지금 우리에게는
먼 미래의 강함보다
지금 당장 종남 놈들의
콧대를 꺾어 줄
힘이 필요해.

그래서
묻는 건데.

네가 시키는
대로 하면 적어도
종남 놈들에게 개망신 당하고
지는 것 정도는 면할
수 있는 거냐?

……．

확 씨,
대가리를
뽀사 버릴라.

왜, 우,
왜! 왜?!!

종남한테 진다고?
그딴 인간은 살아 있을 자격이 없지.
어디 화산의 제자가 종남 같은 잡놈들한테 져?!!
말했지! 내가 이기게 해 준다고!!

좋은 패배 같은 건 없어!
싸움은 이기는 게 전부다!

바짓가랑이를
물고 늘어지든,
눈에 흙을 뿌리든!
이기면
끝이라고!!
비겁?
철푸덕!

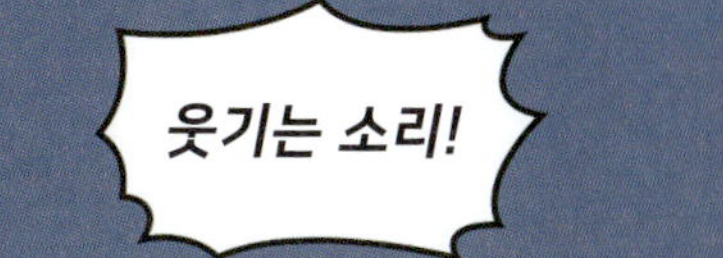

웃기는 소리!

전장에서
목 잘린 놈이
비겁을 논할 수
있을 것 같아?!

어떤 수를 써서라도 이긴다!!
그 썩어 빠진 정신부터 싹 다 뽑아서 갈아 마시게 해주겠어!!

다들 목검 가져와!!
내려치기 만 번부터 시작한다!!
마, 만 번?!!

져서 뒈질래, 지금 뒈질래?!!
……

청명 사형께서
제자를 받지 않으시면
사형의 검술이 후대로
전해지지 못할 겁니다,
장문인…

그러기엔 너무나
대단한 검술이
아닙니까?
나 역시 그게
걱정은
된다만…

하나, 나도
사람인지라 도저히
저놈 밑에 제자를
들일 수가 없구나.

저놈의 제자로
들어가는 아이들이
대체 무슨 죄를 지어서
그런 벌을 받아야
한다는 말이더냐…?
죽을 만큼 패면 개도
물구나무를 선다느니,
그런 소리를
하고 있는 놈이다.
인두겁을 쓴
사람이라면
절대 할 수 없는
짓이지.

그러니 너희가 정녕
도를 닦는 도인이라면,
그런 험한 말은
입에 담는 게 아니다.

저
뒤에 있는데요,
사형.

아, 거기
있었느냐?

……

생각하니까
기분 나쁘네?

내가 뭐 어때서?
이렇게 잘만
키우고 있구만.

그냥 아기들
걸음마 가르치는 거랑
크게 다르지
않은데 뭘.

…직접 발을 잡고
한 발씩 떼 줘야
걸음마가 뭔지 겨우
이해한다는 게 조금
다르긴 하지만.

타박 타박…

앓느니
죽어야지….

에유

내가 죽으면
사라질 영화 같은 건
필요 없다.

내가 없어져도
이어질 화산의 정신을
만들어야 하는거지.

타박

타박

영화는 꽃잎처럼
화려하지만 금세 지고,

터벅
터벅

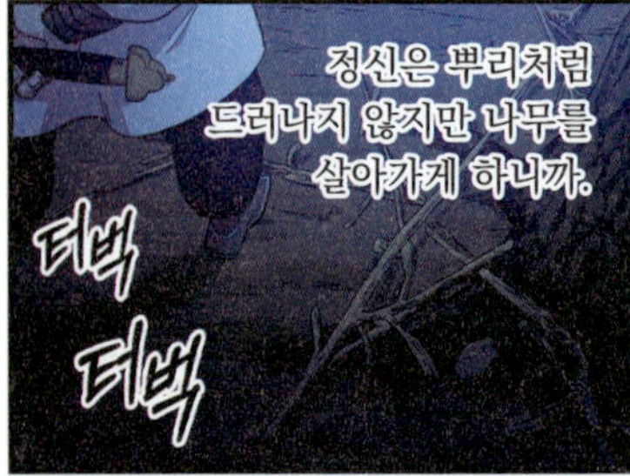

정신은 뿌리처럼
드러나지 않지만 나무를
살아가게 하니까.

터벅
터벅

쏴아아아…

턱…

…알고는 있지만
말처럼 쉬울 리가 있나.

*오전 1시~3시.

하루빨리
더 나아가야 한다.

...예전의 나를
되찾기 위해서가 아니다.

나는 천마를
이기지 못했다.

그놈이 대산에 오른 이들의
합공 끝에 기력을
쇠하지 않았더라면…

천마 단 한 사람도
홀로 이기지 못한
패배자….

그랬다면…

아무도
죽지 않았겠지.

장문 사형도…

모두 멀쩡히 돌아와
평화로웠던 일상을
이어갔을 것이다.

사제들도…

모든 것이
내가 강했다면
벌어지지 않았을 일이다.

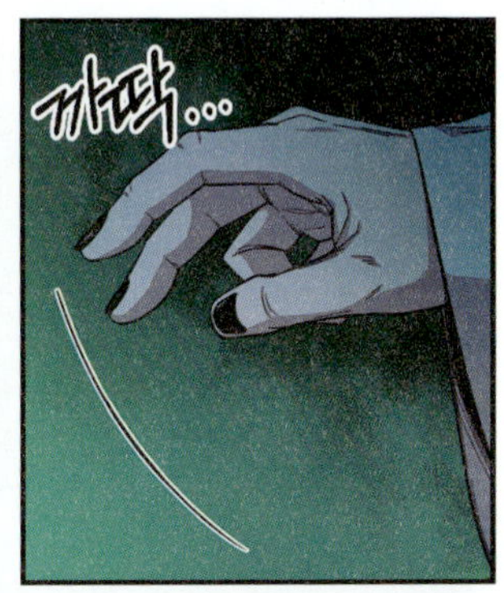

천마와 같은 이가
다시 나타나지 않는다는
보장이 어디 있는가.

어쩌면 천마보다
더 끔찍한 자가 다시 강호를
노릴지도 모른다.

그 모든 위기에서
화산을 지켜 내기 위해서…

후
욱

난 더
강해져야 한다.

세상
그 누구보다

과거의 나보다

휘와
아
악

그리고···

천마보다 더.

천마의 무학은
내가 옳다고 믿던
모든 것을 부숴 놓았다.

그저 선인이
만들어 놓은 길을 따라가는
것만으로 끝에 이를 수 있다고
생각했던 걸 비웃듯이….

내가 알고 있는 한계를
넘어서야만 한다.

스윽…
사락…
……

찰각

나의 한계를 넘고,
새로운 곳으로 나아갈
나만의 검을 찾아야 한다.

…뭔가
잡힐 듯도 한데.

스륵…

아직은 내게도
요원한 일이다.

쏴아아…

새로운 검법을
창안하는 것이 아닌,
새로운 경지를
개척하는 것이기에….

스륵…
…쉬울 리가
없.

저…….

와악!!
씨바!!
폴짝!
뭐,
뭐야?!!

스윽…
지, 저번에 그 여자잖아?! 이름이 뭐였지? 유… 유… 맞다! 유이설!

아무리 집중하고 있었다지만, 사람의 기척 하나도 잡아내지 못할 리가 없는데?!
저번에도 그렇고 지금도 이렇게나 아무 기척 없이……

아니, 그런데 쟤는 어떻게 내 이목을 벗어나서 코앞까지 올 수 있는 거지?!

…그리고 보니 바로 앞에 있는데도 존재감이 묘하게 희미한데….
이 여자 뭐지? 자객술이라도 익혔나?

…그나저나
이거 어떻게
수습하지?

어디까지
봤을까…….

꿀꺽…

매화…….

*죽여서 증거를 없앰.

아.
텁

휘이잉——…

……
자연스럽게는
개뿔….
이제 방법은
하나밖에 없다….

착!

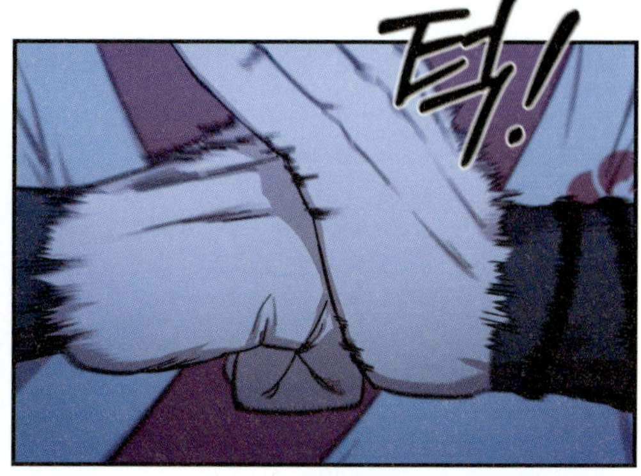
턱!

그럼 저는 이만.
꾸벙

아, 잠시!

탓!

파 다
다 다 다
다 다 탕.

훠이잉——…

……。

…매화……。

와 씨,
식겁했네…!

우다다다

이번 건
목격자가 한 명이라
아무도 믿지 않을 테지만….

*삼인성호(三人成虎)
라고 했으니….

*거짓말도 여러 사람이 하면 참인 것처럼 여겨진다는 말.

앞으로 백자 배들이
돌아오면 더
조심해야겠어….

카가각!!
아!

…백자 배들이
돌아오기 전에
할 일이 있었지?

꿀꺽‥
스륵‥

탓!
화산으로
복귀하기 전에
이게 먼저다!

시끌시끌
시끌시끌

점소이, 여기 소홍주 한 병 차게 식은 걸로~.
예, 갑니다~!

쪼록……

이거지, 이거지~.
크으!

자, 어디…….
동굴에서 가져온 술이 떨어진 후로는 거의 일상이 되었다.

움쩝쩝
우움, 쫄깃쫄깃.
우물우물...
하지만 장문인이 준 특권이니 적극 활용하는 게 맞는 거지! 안 그래?

자연히 흐르도록 두는 게 도라더니 산문에서는 하지 말란 게 뭐 그렇게 많아?
꼴꼴꼴...
술 한번 마시기 번거롭게.

하여튼 도사 놈들이란!
쭙!

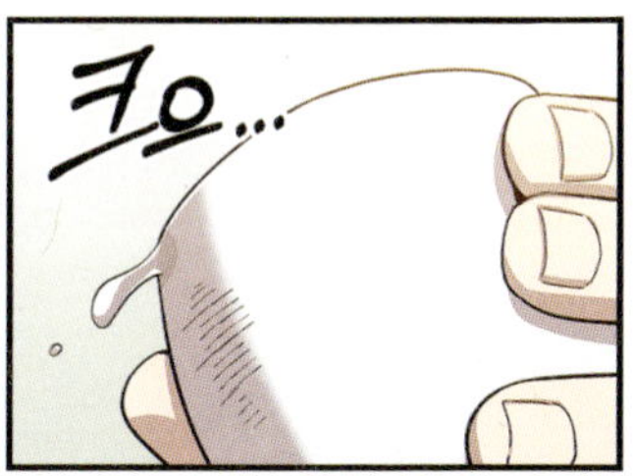

크으...

픽

꼴꼴꼴
에이…
나는 좀 다르죠, 사형.
나이가 백이
다 돼 가는데.
딱
……

너도 도사다,
이놈아.
툭
근데…
맛이 예전
같지는 않네요,
사형.

사형 눈을 피해서
몰래 숨어 마실 때가
가장 맛있었는데.

쭈욱…

웃기는 일이다.

톡

평생 술잔 건너편에
앉을 사람을 그리워
해 본 적은 없는데,
이제 와서 무슨….

바삭…

혼자 궁상떠는 내 모습을
사형제들이 봤다면
얼마나 비웃었을까.

그 양반들은
원래 그런
인간들이었으니까.

짜르륵…

도인이니, 살아 있는 신선이니
하는 말들로 불렸지만
사실 그냥 장난기 많은
노인네들이었을 뿐인데.

거기엔
이런 것들
없지요?
낄낄...

쫍!

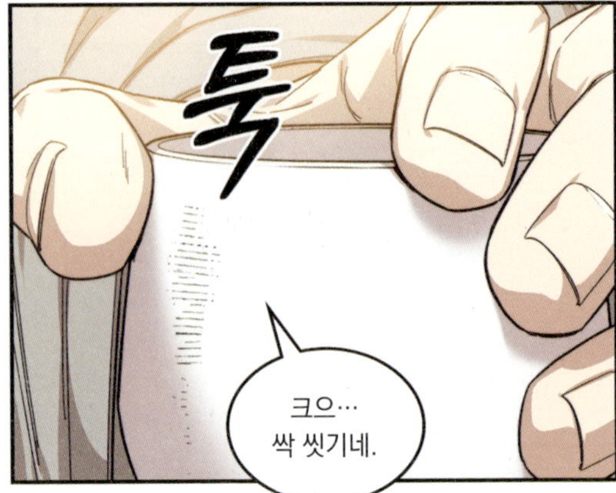

톡
크으...
싹 씻기네.

우화등선은
얼어죽을.

여기가 선계지,
다른 데가
또 있습니까?

…사형,
나는
안 갈랍니다.

거기서
행복하게들
사시오.

타박
타박

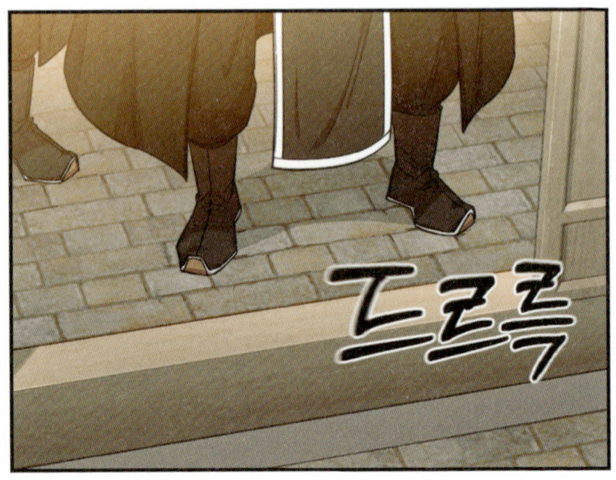

ㄷㄹ륵

어서 오십시오오!
터벅 터벅

간만에 음식다운 음식 좀 먹겠구나~.
이제 벽곡단은 물려서 더 못 먹겠어요, 사형.

그래서 여길 오지 않았는가?
사숙들께서도 이 정도는 이해해 주실 것이다.
사형? 사숙?

문파복을 입은 청년들이라…
나이는 *이립 정도 되어 보이는데.

가슴에 매화 문양.
백자 매인가?

*30세.

엮이면
골치 아프겠군.
빨리 먹고
나가야지.
쯥…

그런데
유 사매는?
화음에서
만나기로
했는데.
화산으로
먼저 올라간 것
같아요.
아시잖아요,
유 사매
말 안 듣는 거.

흠, 그럼
사부님들께서도
우리가 온 줄
아시겠군.
괜찮을 겁니다.
유 사매가 유별난 건
다들 아시니까요.

여기,
오늘 가장 맛있는
걸로 인원 수 맞게
내주세요. 그리고 술도.

저저저… 이제 겨우
이대 제자밖에 안된 것들이
다른 데도 아니고 화음의 한가운데서
대놓고 술판이라니.

문파가
거꾸로 돌아가도
유분수지.

나 때 걸렸으면
참회동에 갇혀서
일주일은 벽만 보고
검만 휘둘렀을 건데…

쯧쯧…
요즘 것들이란.

쭙…

저 중간에 있는
녀석이 가장 나이가
되었나 본데…

꿀꿀꿀…

자,
받거라.

다들
고생 많았다.

아이, 사형만큼 고생한 사람이 또 있겠습니까?
저희는 그저 사형을 따른 것뿐입니다.
씨익...

그리 말해 주니
고맙구나.

쭈욱…

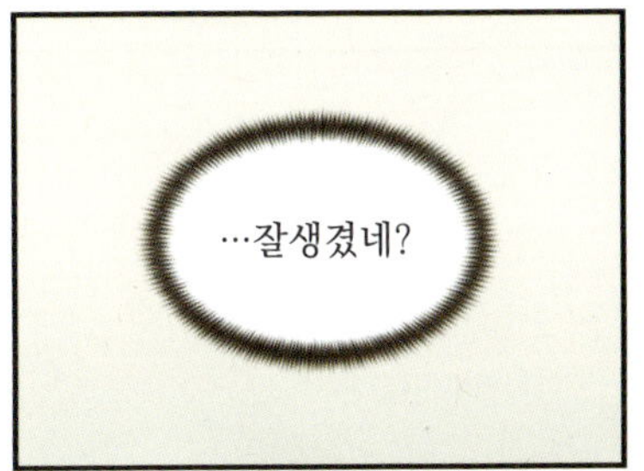

…잘생겼네?

남자인 내가 봐도
훈훈함을
느낄 정도로.
뭐랄까…
이야기 속에 나오는
전설의 협사 같은
분위기라고 해야 하나?

너희가 가장
노력했다는 건
내가 누구보다
잘 알고 있다.
이 술은 내가
개인적으로 사는 것이니,
부담 갖지 말고
마음껏 마시도록 해.

대신 너무
취하진 말고.
감사합니다,
사형!
바삭
에휴,
문파 꼴 잘~
돌아간다.

움찔
사형,
그럼… 우리 실력은
어느 정도나
되었을까요?

이만큼 고생했으니
화종지회에서
좋은 결과를
얻을 수 있겠죠…?
…….

탁…
…나는 솔직히
모르겠네,
사제.

종남은 강해.
그들은
명실상부한
구파일방이니까….
예,
그렇지요.

과거에는
우리 역시 구파의
일원이었다지만…
솔직히 지금의
종남과 우리는 서로
비교할 수 없을 만큼
차이가 벌어졌지.

하지만 그건
명성일 뿐이다.
명성과 실력은
꼭 비례하는 게
아니지.

지난 화종지회에서
우리가 패하기는
했지만…
난 그 차이가
크다고
보지 않았다.

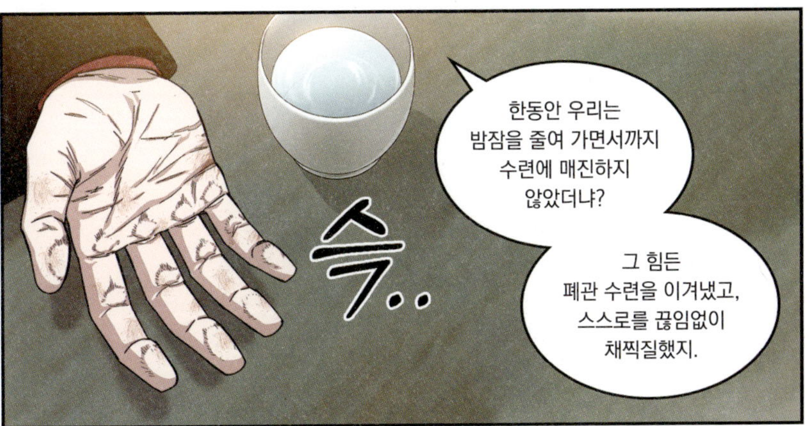

한동안 우리는
밤잠을 줄여 가면서까지
수련에 매진하지
않았더냐?
그 힘든
폐관 수련을 이겨냈고,
스스로를 끊임없이
채찍질했지.
슥..

우리는
노력할 만큼
했네.
그리고 노력은
절대 사람을
배신하지 않아.
이제는 종남과도
충분히 자웅을
겨뤄 볼 수 있을 거라고
생각한다.
…그 종남과
말입니까?

슥
종남은 처음부터
종남이었고,
화산은 처음부터
화산이었더냐?

정해진 것은
아무것도 없다.

우리가
쉼 없이 정진할 수
있다면
결국엔 우리 대에
종남을 넘어
천하를 바라보는 것도
불가능하지는 않을
풉!

……．

어…….

210

아, 안 속냐?!
연기는
완벽한데…?!

소형제.
…네?
턱
드르륵

소형제는
누구신가?
화음에서는
본 적이 없는
얼굴 같은데.

실례가 되지 않는다면
가문과 이름을
물어도 되겠는가?

아…
그,
그게…….
망했네…?

화산귀환

…….

이 녀석은
누구지?

처음 이 객잔에
들어왔을 때부터
미묘한 위화감을
느꼈는데…
왜 그런 기분이
들었는지
알 것 같다.

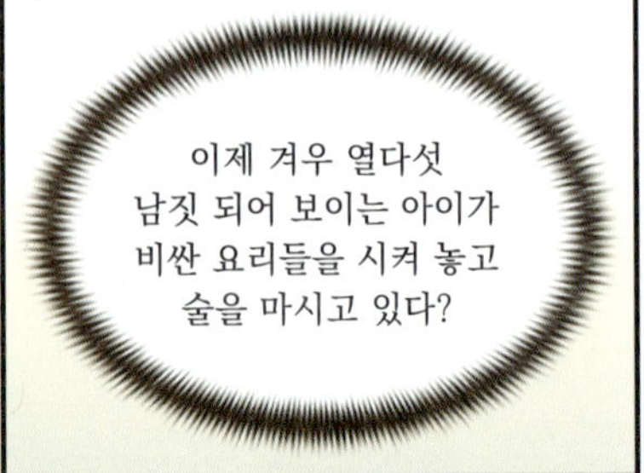

내가 알기론 화음에 혼자서 이런 풍류를 즐길 만큼 돈이 많은 고관대작의 자제나, 상가의 자제는 없다.

적어도 이만큼 어린 놈들 중에서는.

지나가던
사람이라…
그래,
그럴 수도
있겠군.

슥
그렇다면
소형제…

턱

우리가 이리
만난 것도 인연인데
통성명이라도
하는 게 어떤가?
타박
타박
삐걱…

나는 대화산의
이대 제자인
백천이라고 하네.

?!

아니, 이 스끼
왜 이렇게
끈질기지?
확 패 버린 수도
없고…

저어는…
딱히 내세울 만한
이름이 없네요,
하하….

대화를 나눔에 있어,
얼굴을 숨기는 건
군자의 도리가
아닌 것 같소만?

도사 놈이
무슨 군자 타령이야?
그럴 거면 관직이나
나가든가.

?
뜨득…

저는 일이
있어서….

슬금…

소형제.
멈칫

나는 그대와 조금 더 이야기를 나누고 싶소만?
…제, 제가 남자랑 노가리 까는 취미는 없어서요.
…그럼 이만.
번득!

어딜…!
후
욱

왁!
턱!!

수고하세요!

쌔앵!

……어라?

보지도 않고
피했다…?

내
금나수를?

사형,
왜 잡고도
놓아주십니까?

…응?

아…….

…굳이 어린 아이를
핍박하는 게 도인이
할 일은 아니다
싶더구나.

역시
사형다우십니다,
하하.

…그래…
그래서
그런 것이다….

…실수였겠지….

이제까지 화산 생활이
편했던 이유 중에는
운자 배와 청자 배의
나이 차가 큰 것이
한몫했었는데…

군에 갓 들어간 신병에게
제일 무서운 사람은
장군도 황제도 아닌
손위 기수니까.

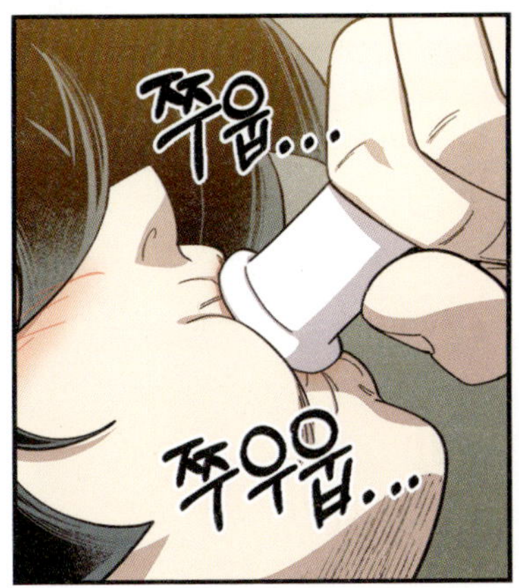

그런데 늘어놓는 말이 너무 황당했으니까 안 웃을 수가 있나.
종남을 잡아?
주제에?
조걸만도 못해 보이는 놈들이 입만 살아서는.
헹

갬내수우~.
꾸물꾸물

그딴 것도 금나수라고 쓰고 있는 걸 보고 있자니, 하이고 참나.
타박 타박
이건 뭐, 삼대 제자들을 처음 봤을 때보다 충격이 더하네.

삼대들이야 무학을 배워 봐야 얼마나 배웠겠는가?
어차피 제대로 된 무학을 배웠어도 그게 그거였을 서기이다.

하지만 이대 제자는 말이 다르다.
아이고, 두야….
삼대는 기초를 닦는 단계이고, 이대부터는 수련으로 성장을 해야 하는 단계이니까.

…내가 이렇게 시간 낭비할 때가 아니었네.

톡

타박
타박…
…어느 세월에 이것들을 사람 구실하게 만드나….

조걸 사형!
삼대 제자 전부 연무장으로 모이랍니다!

사숙들께서 돌아오셨답니다.
어, 알았다.
금방 나가마.

쩍!

…아,
…그러고 보니 청명 녀석은 돌아왔나?

크아아…

크욱…

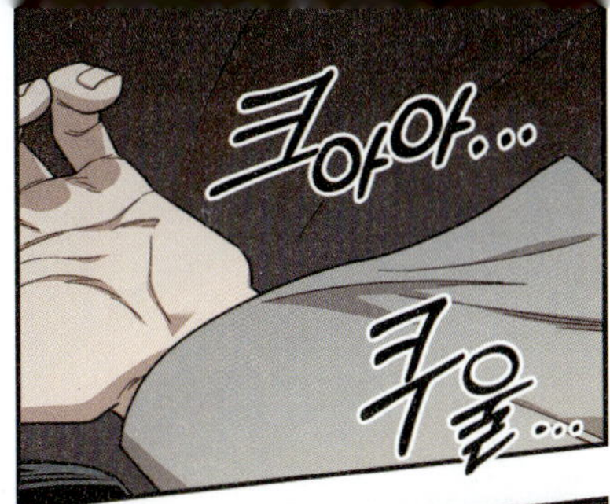
크아아…
크욱…

툭
크아아…
크욱…
음

쿠아아…
어우, 술냄새…!!!
이 자식 술을 처먹었나?!
쿠우유..
쿠아아…
쿠아아…
흔들 흔들
청명아!
사제!

…….

꿀꺽…

…이…!
일어나,
이 미친노

벌떡
…오오을이 참
예쁜 날이구나.

노을 뭐?
아, 아무것도
아니다….

뿌드득…
ㅎ아아압ㅡ!
잠깐 쉰다는 게
졸아 버렸네.

그게 존 거냐,
드러누워서
처 잔 거지….

사숙들이 돌아왔다고 다 모이란다.
너 빨리 씻어라

지금 술 냄새가 장난이 아니….
흡

패애앵-!!

…?!
뭉게
뭉게

쿵쿵…
어라…?

술 냄새가
사라졌다…?
뭉게…
뭉게..

술이라니.
사아아―…
신성한 청정
도량에 그게 무슨
망발이오, 사형.

얼른 나갑세.
늦게 나갔다
볼기 맞을라~.
…….

그런데.
이대 제자 복귀식에 우리는 왜 나가는 건데?
그래도 환영은 해 드려야지.
힘든 폐관을 마치고 돌아오시는 분들인데.

픽
힘들긴 얼어 죽을.

빛도 안 드는 참회동에 반년은 처박아 놓고 이끼나 뜯어 먹으면서 검만 휘둘러 봐야

'아, 내가 수련 좀 했구나' 하는 거지.

편하게 벽곡단 씩이나 먹으면서 검 좀 휘적거리다가

그것도 고생했다고 술이나 퍼마시는 것들이 건방지게 수련을 입에 올려?

사숙들께서 이번엔 정말 칼을 가셨어. 어떻게든 종남의 코를 한번 눌러 주겠다고 말이야.
장문인께서도 큰맘 먹고 수련을 지원하셨고.

너도 태도 조심해야 한다.
백천 사숙은 엄한 면이 있어서 평소처럼 굴다가는 분명 혼쭐이 날 테니까!

그래, 그래.
픽

진짜 크게 혼날 거라니까?
그래, 그래~.

타박
타박...

왔느냐?
예, 사녕
타박...

이대 제자들이 도착했습니다!
산문을 열어라!

드르릉...
끼이익...

오오오…
저기 오는군…!
기세가
다른데…!

짝
짝
짝
짝
짝
짝

짝
짝
짝
짝
짝
짝

와아아아―!
짝
짝
짝
짝
짝
짝

역시…

쟤, 다시 봐도
잘생겼다.

짝
짝
짝
짝
짝
짝
하기야… 예전의 나도
훤하다 소리가
귀에 앉을 때까지 들었었지.

끄덕 끄덕
아니,
오히려 내가 더
괜찮았지?

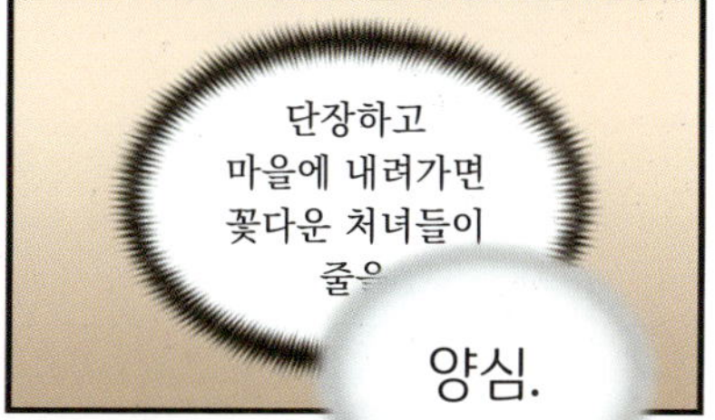

단장하고
마을에 내려가면
꽃다운 처녀들이
줄을
양심.

이런 거에까지
참견하지 마쇼.

…?

터벅

터벅
터벅

턱…

펄럭!
!

사악

스악···
···??

······.

쓰악···
혹시······

우리는 구면이
아니던가?
소형제?

……뭐야,
이 스끼….

진짜
패 버릴까…?

제 13 장

41화
42화
43화

눈빛을 보니
나를 아는 것
같은데.

…무슨
말인지 전혀
모르겠는데요.

이상하군,
정말 구면 같은데
말이야.

혹시 입문을
언제 했지?

아…

그런가?

사숙께서 화산을
떠나 계신 동안
입문한 아이입니다.

입문한 지
얼마 되지 않아
보신 적이
없으실 겁니다.

음, 그래?

그런데
그런 것
치고는…

너희는 꽤 친해
보이는구나?

대사형으로서 '막내'를 챙기는 건 좋은 일이지.
그렇지 않느냐? 막내야.

아무래도 내가 너와 인연이 있는 모양이다.
초면인데 이리 낯이 익은 걸 보니 말이다.

이름이 어떻게 되지?
…청명이요.
…청명…
나는 백천이라고 한다.

장문인께서 기다리고 계신데 어찌 사사로운 잡담을 나누느냐!

타박..
앞으로 자주
보게 될 것 같으니
내 이름을 꼭
기억해 두거라.

청명 사질.

…….

…백천 사숙을
뵌 적 있느냐?
없어.

…

백천 사숙은
화산제일기재라고
불리는 분이시다.
무너져 가는 화산을
다시 일으킬 사람이란
평을 받고 계시지.

화산제일기재?
…그거 내가
코찔찔이 때 자주
듣던 말인데?
곧 다른 걸로
바꿔 부르긴
했지만.

우웁!!
네놈
주둥이는 술 먹고
욕할 때만 쓰느냐.
망둥이 같은 놈아,
하하하.

그런데
화산제일기재는
조 사형 아니었어?
뭐…?

숙!!
무,
뭔 소리야…!
남이 들어!
뭘 그렇게
과민 반응…?

…백천
사숙은…
감히 내가
따라갈 수도
없는 사람이라고.

그래그래,
패배 의식
그거 좋은 거지.
사람 참
겸손하게도
만들어 주고.
…….
쯧쯧

그래,
언뜻 듣기엔
좋은 말이지.

정반대의 의미가
되기도 하지만.

타박 타박...

척

타탓...

타박...

척

…저거도
백자 배였지.

유
머시기….

설마
하루 사이에 나에
대해서 나불대지는
않았겠지?

그래… 너도
유 사고에게서
눈을 떼기가
힘든가 보구나?

이해해,
처음 보면 눈을
뗄 수가 없지.

너무
아름다우시니까.

뭐?

하지만 꿈 깨라.
유 사고는 이미 백천 사숙에게 마음이 있으시니까
우웩.

내, 내가 틀린 말 했어?!
두 사람도 유 사고만 한 사람은 본 적 없을 거면서!

유 사고 정도면 섬서제일미는 따 놓은 당상일걸?!
이놈의 문파는 화산제일기재에, 섬서제일미에…
모르는 사람이 들으면 섬서 지방 정도는 찜 쪄 먹는 줄 알겠네.
하아…

사형…
턱
남의 연애사에 관심 가질 시간에 검 한 번 더 휘둘렀으면 지금쯤 검으로 이름을 날리지 않았을까?

…사람 그렇게 아프게 찌르는 거 아니다.
말을 말자.

턱!

처
장문인을
뵙습니다!
억!

터억!

장문인을
뵙습니다!!

쳐

억!

다들 고생했구나.
수련은 힘들지 않았느냐?
전혀 힘들지 않았습니다!
본문의 뼈를 깎는 지원으로 이뤄진 수련인데, 어찌 힘들다는 말을 입에 올리겠습니까!

성과는 있었느냐?

검의 길은 파고 또 파도 끝이 없다는 것만 깨달았습니다!
다만, 수련을 시작하기 전의 저희를 우습다 할 성취는 얻고 돌아왔습니다!
그래, 좋은 일이구나.

재경각주.
힘든 수련을 마치고 돌아온 아이들을 위해 잔치를 열어 노고를 치하해야 하지 않겠는가?
아….
뭘 했다고 잔치를 열어, 잔치를….
…재경각주?
쭈

아, 아닙니다.
당연히 그래야지요.
마침 준비 돼 있는데 가시죠?

뼈를 깎는 줄 알면 좀 적당히 쓰든가….
투덜투덜…
……
타박

…은하상단 일 이후로 자꾸 이상한 말을 한단 말이야……

운암아, 고생한 아이들이 회포를 풀 수 있도록 네가 도와주거라.
예, 장문인.

…그리고 청명아!
…예?

잠시 내 처소로 오거라~.
이야기할 것이 있느니라~.
타박 타박

또요?
멈칫

……또요?
장문인에게 또요…??

스윽…

당과라도 준비하면 오겠느냐~?
예에… 알겠습니다~.

…….
타탓…

사,
사숙…?

저 아이는
대체…….
타박
타박
으음.

그냥 신경 끄는 게
정신 건강에
좋을 것 같구나.
…예?

특히나
너는 말이다.
턱

타박
타박
휘이잉…
…….

…이게
내가 알던
화산이 맞아…?

두웅!
고기…?!

대체
돈이 어디서
나서…??

저희가 없던 일 년 사이에 전각들이며 식당 내부까지 많이 바뀌었습니다.
워낙 오랜만에 와서 어색한 것인가 했는데, 모두 반질반질 깨끗하지 않습니까?

우리가 없는 동안 어디서 재신(財神)이라도 강림한 게 아닐까요?
아이들 반응만 봐도 그렇잖습니까?

고기도 이제 물리지 않습니까, 사형?
뭐 색다른 거 없나?
생선이라든가.

대체 이놈들이 단체로 뭐라고 하는 거지?
고기가 지겨워??
이렇게까지 화산과 어울리지 않는 말들이 또 있을까.

쭈왑!
내가 아는 화산은 세상에 천하제일 거지 문파를 두고 개방과 다툴 수 있는 단 하나의 문파였다.

아니, 개방도 화산보다 가난하지는 않을 것이다.
꿀꺽!
개방은 거지가 모인 단체일 뿐 개방 자체가 가난한 건 아니니까.

그런 화산에 재물이라니?

왜?
음식이 입에 맞지 않느냐?
아… 그런 게 아니오라….

제자는 도통 지금의 상황이 이해가 가지 않아서 그렇습니다.
저희가 없는 동안 대체 화산에 무슨 일이 있었던 겁니까…?

음, 그렇구나.
너희 입장을 생각하지 못했구나.

지금 하기에는 너무 긴 이야기다.
차차 알게 될 것이다.

그저 화산에
복덩이 하나가
굴러들어 왔다는 것만
알면 된다.
…복덩이요?

쾅

턱!

휘이이...
......

씨익...
씨익...

빠!
드!
쎄익!
쎄익!

쿵!
쿵!

쿵!
쿵!
쿵!

털썩!

......
쎄익
쎄익...

......

…뭐지?

심지어 평소 예의를
중시하시는 운검 사숙께서도
아무런 말씀이 없으시다….

마치 이 상황이
당연한 것 마냥….

어째서
삼대 제자들 중…

아무도 저 막내
녀석에게 뭐라는
사람이 없는 거지?

힐긋…

설마…
저 꼬마 녀석이
삼대 제자 전체를
휘어잡기라도
했다는 건가?

게다가 저 아이의 자리가
삼대 제자 중 대사형인
윤종과 가장 실력이 좋은
조걸의 옆이라는 건…

명분과 실세까지
좌우로 끼고 있다는
얘기로군.

피식…

왜 또 그렇게
화가 났느냐?

…….

저 작은 아이가
대체 무슨 수로
모두를 휘어잡았다는
말인가…?

은하상단에
다녀오래.

와…
거길 또…?

*편지를 보내는 데 쓸 수 있게 훈련된 비둘기.

윤종은 윗사람을
깍듯이 모시는 성향이어서
굳이 눌러 주지 않아도
제 스스로 고개를
숙일 줄 알았지만…

저놈은
그렇지 않아
보이는군.

…한번
날을 잡을 필요가
있겠어.

대사형,
안 드십니까?

스윽…
먹어야지.

아까부터
한 젓가락도
안 드셨습니다.
…아아…
그래.

멈칫
…아,

그런데 유 사메는
어디 있느냐?

…글쎄요?

식당에
올 때까지는
있었는데….

…그렇다면
찾아봐야 하지
않겠느냐?

사형제들이
간만에 회포를 푸는
자리에 빠진
사람이 있는데
다들
먹고만 있어서
되겠느냐?

…그렇지만 유 사매를
찾을 수 있는 사람이
없잖습니까?
스스로
올 생각이 없으면
아무도 못 찾는 거
아시잖습니까….

…맞습니다.
괜히 헛수고만
할 겁니다,
사형.

…….

다른 일엔
공평한 사람이
유 사매만 엮이면
막무가내라니까….
흐음…

밥은
다 먹었네….
드르륵…

사박…

사박…
사박…

사박…
사박…

…사매!
스윽
사박
사박…

두리번

……
두리번

사매!
이쪽…….
탓탓…

…??

사박

사박…

으에에엥?!
유, 유 사매가 남자에게 말을 걸었어?!
유 사매가 마지막으로 말을 했던 게 언제지?!!
……

…안 돼요.
훽

…….
그럼 잠시 이야기 좀
안 돼.
훽
훽
얘기해 줄 생각 없어.

돌아가.
에에에엥?!!

…이게 뭔 상황이지?
화산의 그 누구도 유 사매와 친하게 대화하는 걸 본 적이 없는데,

그런 유 사고가 청명에게 먼저 다가와 말을 걸고 있다….

그런데…

…진짜 잠깐이면 된다니까?
안 간다고! 말귀를 못 알아들으시나?

잠깐이면 돼.
안 간다니까?
저이쒸…!!
제발 존댓말 좀 써라, 이 망둥이 같은 놈아….

난 사고랑 할 말이 없다고요.
말투 좀 이 스끼야, 조옴!!

내가
할 말이 있어.
귀찮은데,
그냥 밥이나 먹으면
안 될까요?

…….

드르륵…

그럼 밥
다 먹을 때까지
기다릴게.
스윽…
…?!

아잇, 진짜!
안 간다니까?!
저 할 일
많아요!
다른 사람
찾아보세요!

널 찾아온 거야.
아니, 그러니까 왜 나를 찾.
크흠!

…..?

…….

스윽..

스으윽…

끼익…

스윽…

청명이라고
했었느냐?

……예.
…그래.
…듣자 하니,
네가 장문인으로부터
여러 임무를 맡아
서안을 자주 다녀왔다고.

그래서
피곤하다는 건
잘 알겠다.

스륵...
......

뱅긋...

...하지만
사고가 저리 부탁을 하는데,
조금 힘들더라도 한 번쯤은 따라 주는 게 어떻겠느냐?

씨익...

사질 된 도리로서 말이다.
......

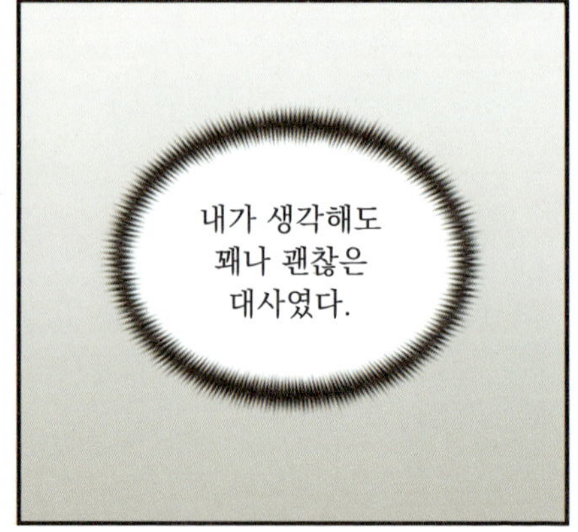

내가 생각해도 꽤나 괜찮은 대사였다.

내 체면도 챙기면서
녀석이 잘못한 부분을
정확하게 짚었다.

이 정도면
제대로
알아들었겠지

제가 왜요?

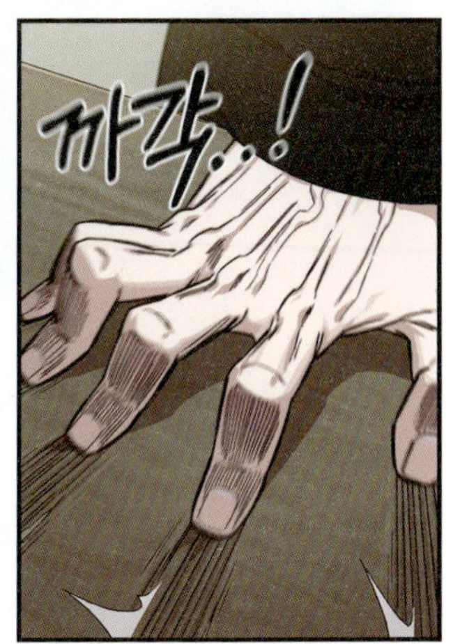

까각…!

부들부들…
…참자…
여기서 화를
내 버리면
내 밑바닥만 보이는
꼴이 된다…!

…이유야
여러 가지가
있겠지.
우선 사람은
예의라는 게 있어야
하는 법이다.
당연히 사제 간에도
지켜야 할 예의가
있는 법
아,
예의요?

왜요… 라고
하였느냐?
네.

사고, 빨리 사과드려요.
지금 예의 없다고 뭐라고 하시잖아요.

…?

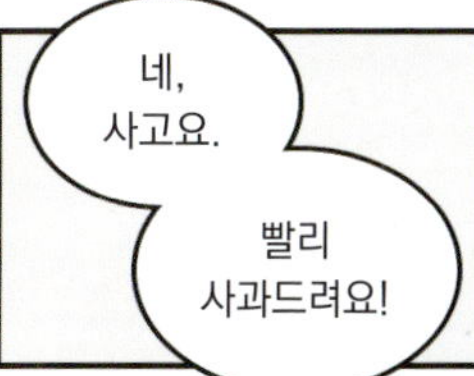

네, 사고요.
빨리 사과드려요!

이대 제자 복귀를 축하하는 자리에서 사사로운 부탁을 하고 개인행동을 하니까 혼내시는 거잖아요.
아…….

꾸벅
죄송해요, 사형.
미처 거기까지 생각하지 못했어요.
아… 아니, 사매! 그게 아니라…!

아휴!
그쪽이 아니라
사숙조께
사과드려야죠!
사숙조가 계시는
자리에서 실수를
했으니까!
아…….

죄송합니다,
사숙.
꾸벅…
제자가 생각이
짧았습니다.

하하, 별말을
다 하는구나.
나는 괜찮으니
앉거라
……

어어……
이거
위험하다…!
막아야
되는데…?!

꽈아악…

아아~ 사, 사숙! 돌아오신 것을 축하드립니다!
그간 얼마나 고생이 많으셨습니까!

오늘은 정말 좋은 날 아닙니까?
유 사고까지 오셨으니 본격적으로 축하연을 시작해 보시지요!

하하하하하.
이거 참 맛있지 않습니까?
너도 그렇게 생각하느냐?
휴으...

…청명이라고
했나?

망했다…!

이렇게
된 이상…

청명아, 제발
조용히
넘어가자…!
딱 한 번만…!
딱 한 번만
예의 바르면 된다!!

먼 길 여행하시느라
고초가 많으셨나
보네요.

피곤하면 가서
쉬시는 게?

오오오!!

그래,
그 정도만 해도
좋으니

물었던 걸
계속 물으시는 걸
보니.

…하나 묻지.
정말로 오늘 낮에 나를 만난 적이 없나?

솔직히 말하는 게 좋을 것이다.

에이…
처음이라니까.
거 속고만 사셨나?
픽

…그래?

이렇게까지 하고 싶지는 않았지만…

턱...

척!
사숙.

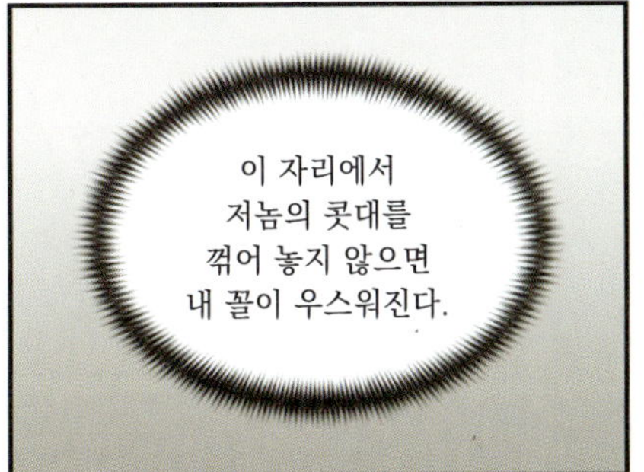
이 자리에서
저놈의 콧대를
꺾어 놓지 않으면
내 꼴이 우스워진다.

말씀드려야 할
사안이
있습니다.

사안?

제가 알기로
삼대 제자는 별다른 명 없이
홀로 화산을 벗어나는 것이
금지되어 있습니다.

도복도 아닌
사복 차림으로는
더욱 말이 되지
않겠지요.

그러나…

제가 오늘 낮에
사복 차림으로 화음에
홀로 나와 있는
삼대 제자를
보았습니다.

바로…

저
아이를요.

…그래?

예, 이것은
분명 꺼림칙한
일입니다.

그러니
맡겨 주신다면
오늘 저 아이의
행방을 조사할ᄋ

괜찮다.

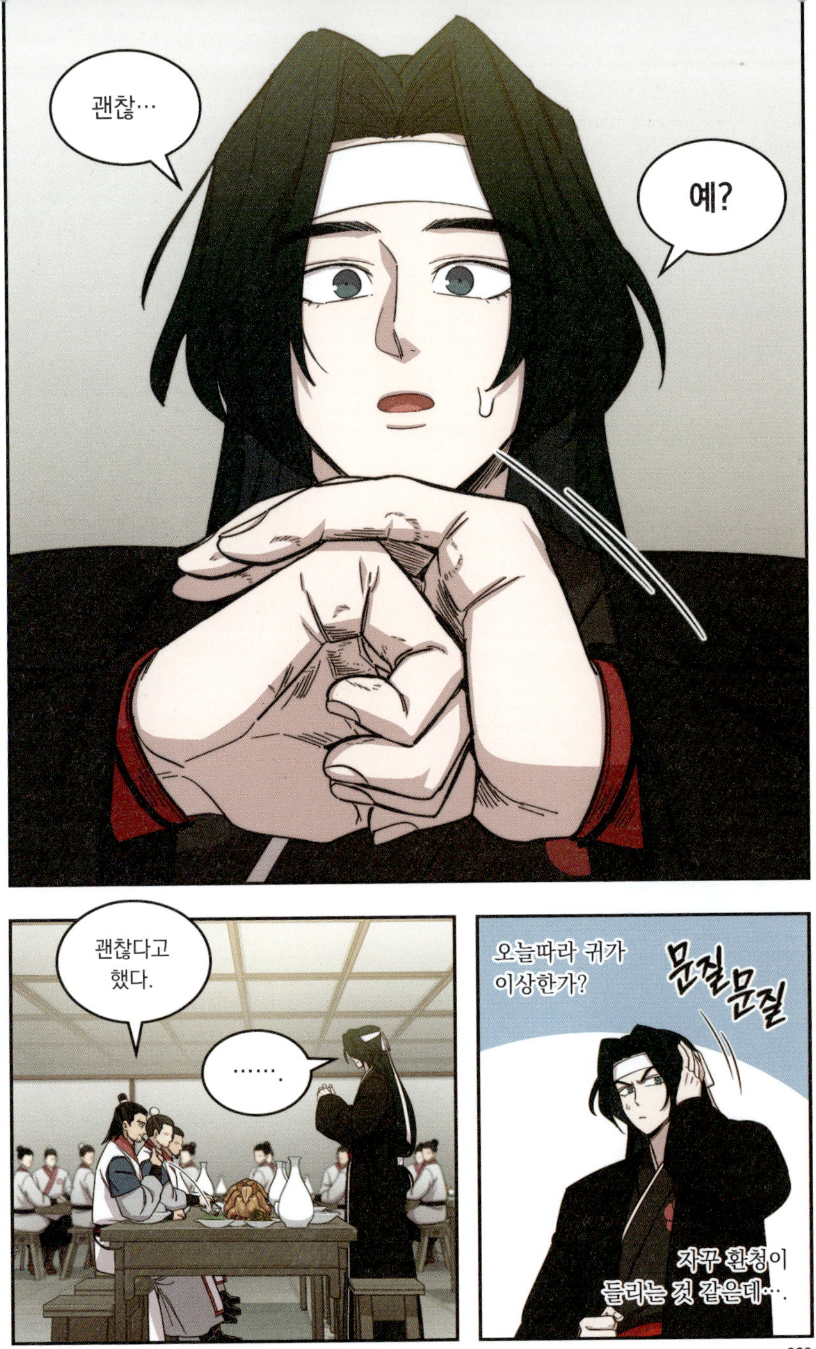

괜찮…
예?

괜찮다고
했다.
……

오늘따라 귀가
이상한가?
문질문질
자꾸 환청이
들리는 것 같은데….

규칙에 그렇게나
민감하고 엄격하던
운검 사숙이 지금…

규율을 어긴 삼대 제자를
두고 괜찮다고
말한 게 맞나…?
저 아이는
위 배의 허락 없이
산문을 나서는 게
허락된 아이다.

허, 허락
없이요…?!
대체 누가
삼대 제자에게
그런 권한을 주었다는
말씀이십니까?!

장문인께서
내리셨다.
문제라도
있느냐?
흠칫!
자,
장문…?!

진짜요…?!

…….

쫩쫩쫩짭…

쫩짭짭짭

쫩짭짭짭
우움, 쭐깃쭐깃.

으드득…

타박 타박

타박…

두리번…
으흠.

…….

…이렇게
된 이상…
으득…

타박…
…끝까지
간다.

더는 사정을
봐줄 생각이
없다.
터벅
터벅

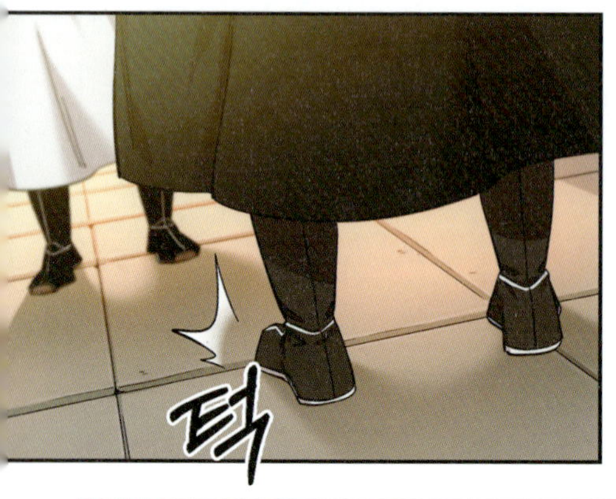
턱

장로님을
뵙습니다.
척
으음.

됐다,
편히 있거라.
홱 홱
확인 한번
해 보러 온 건데
잘 놀고 있구나.

운검은 아이들이
과하게
놀지 않도록
잘 단속하거라.
꾸벅
예, 사숙.

…장로님.
장로님께
아뢸 말이
있습니다.
음?

무슨
일이냐.
…….

아뢰옵기 송구하오나…

제가 오늘 낮에 화산의 삼대 제자가 화음의 주루에서 술을 마시는 걸 보았습니다.
뭐?

수울?!
삼대 제자가 술이라니!
똑바로 본 것이 맞더냐?!
네가 본 삼대 제자가 누구냐!!

분명합니다.
본인은 아니라고
하지만, 제가
똑똑히
보았습니다.

나를 원망 마라.
먼저 도발한 건
네 놈이니까.

힐긋...
저기에
앉아 있는
저 아이.
청명입니다.
쩝 쩝

…청명?
맞습니다,
저 청명이 술을
마시는 것을
그게 뭐?
예?
그게
뭐어어?

제, 제 말은…
삼대 제자가 홀로 화음에 내려가 술을 먹은 건 중죄…

화산의 규율을 네가 정하느냐?
…아, 아닙니다….

그래서 네가 말하는 화산의 규율 중에 산문을 벗어나 술을 먹으면 안 된다는 조항이 있더냐?
잉?

그리고!
거 술 좀 마실 수도 있지. 그게 뭐 어때서! 잉?!
…자, 장로님…?

제 처먹는 밥값도 못 벌어 오는 밥버러지 놈들이 이렇게 수두룩한데!
너희 먹여 살리는 놈이 제 돈으로 술 좀 사 먹기로서니! 으이?!

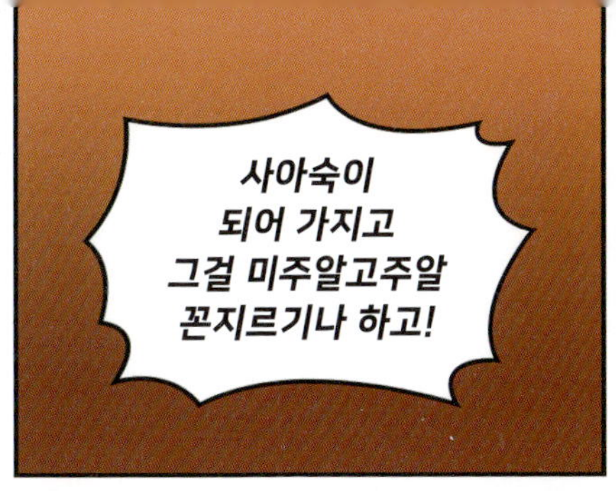

사아숙이
되어 가지고
그걸 미주알고주알
꼰지르기나 하고!

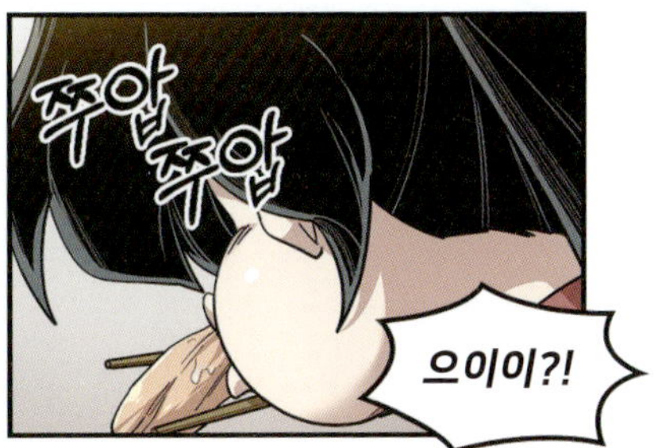

쭈압
쭈압
으이이?!

네가 그러고도
사숙이냐?!
그러고도
이대 제자야?!!

그냥 검이나 휘두르고 밥이나 축내는 것들이 뭐~ 잘났다고 지적질이야, 지적질이!!
카아악!!
대가리를 깨 버릴까 보다!!

사질이 벌어 온 돈으로 고기는 처먹는 놈들이!!

그 사질이 한 푼 두 푼 모은 돈으로 술 좀 먹겠다는데,
그걸 못 참 쪼르르 달 고자질을

처먹지 마,
이것드롸!!
늬들이
뭘 했다고

고기씩이나 처먹
텀

하하하, 사제!
여기에 있었군!
우읍!!!

잠시
나가세!
우우읍!!!
우읍!!!
아이들 없는
곳으로~.

……

촵촵촵촵

촵촵촵촵…

쯔ㅂ
쯔ㅂ

……
대체……
뭐가
어떻게 돌아가는
거지…??

너무 이상하지
않습니까,
사형?

장문인은 그렇다 치고,
현영 장로님과 운검 사숙
말입니다.
호로록…
사형은 못
느끼셨습니까?

윗분들이 그 아이를
싸고돈다는
느낌이요.
…으음.
탁…

그리고
유 사매도
마찬가집니다.

저희와도 대화가 거의 없던 유 사매가 그렇게나 적극적으로 누군가에게 말을 거는 건 난생 처음 보았습니다.
저희가 유 사매와 하루 이틀 같이 지낸 사이도 아니잖습니까?
아……
…예, 사형….

백상.
…예, 사형.

그만하면 됐다.
쓸데없이 화를 돋우지 말거라.
생각이 짧았습니다….

…그런데 너무 억울합니다.
일 년간 고생하다 왔는데 환대는커녕
스윽…

어디서 나타난 밤톨 같은 놈이 사문 어른들의 귀여움을 독차지하고 있으니….
쭈루루룩…

우리가 귀여움을 받을 시기는 지났지.
턱

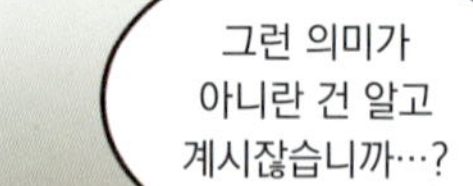

그런 의미가 아니란 건 알고 계시잖습니까…?

…….

…알지.

너무 잘 알지…
귀여움 받는 것의
문제가 아니란 것쯤은.

…미묘하게…
주도권까지 모두 그 놈
손아귀에 있다는 느낌이
든다는 말이지.

우리가 폐관에 들기 전
마지막으로 보았던 화산은
지금과 다른 모습이었다.

너무 사용해 이가 빠져 버린
이 찻잔처럼 낡은 집기와
낡은 건물, 그리고 낡은 사람들….

화산에는
온통 낡은 것들 투성이었다.

그 낡아 빠진 문파의
유일한 희망이
이대 제자들이었고,

그중에서도
가장 큰 희망이 바로 나,
백천이었다.

*세상이 몰라볼 정도로 변함을 비유한 말.

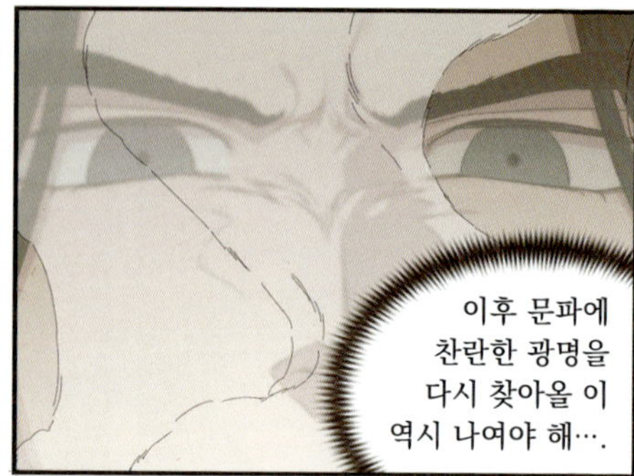

그래도 따끔하게 손을 봐줘야 하지 않겠습니까?
이대로 두면 화산이 거꾸로 돌아갈 겁니다.
…….

사형…
그놈을 이대로 두실 겁니까?
두지 않으면?

일단은 침착하거라.
나 역시 그러고 싶은 마음이 없는 건 아니니.
떡

우선 먼저 알아야 할 것이 있다.
…알아야 할 것이요?

일에는 선후가 있는 법이다.
대체 어떤 이유로 사숙들께서 그 아이를 그리 감싸고도는지 알아야 할 것 아니겠느냐?

알아낼 방법을
따로 생각해
두셨습니까?

터벅
터벅

…오는구나.

똑똑
들어오너라.

드르륵…

스
으…

제자 윤종이
사숙들을
뵙습니다.
두
웅

씨익…

어서 오너라.

이 비무에서
나는 네 사숙이 아니고,
너는 내 사질이 아니다.

청명과 백천의
뒤끝 없는 깔끔한 한 판!

서로 악감정을 정리하는
일방적인 비무(?)가 시작된다!

초판 발행 2024년 2월 22일

만화 STUDIO LICO
원작 비가 네이버 시리즈 웹소설 <화산귀환> (러프미디어 제공)

펴낸이 최재호
총괄 전지영
기획·책임편집 김수연
본문구성·편집 이찬빈, 이송이, 주예운
표지·단행본 디자인 스무디, sasha
제작 에이템포미디어 출판사업부

펴낸곳 (주)에이템포미디어
출판등록 2019년 2월 27일 제 2019-000012호
주소 경기도 부천시 조마루로385번길 92 부천테크로밸리U1센터 726호
대표전화 070-4100-0600   **팩스** 070-4758-0640
전자우편 atempo_media@naver.com
인스타그램 @atempomedia_books
트위터 @atempomedia
카카오톡 @에이템포미디어 출판사
www.atempomedia.com

ISBN

979-11-6963-558-5

979-11-6963-562-2 (한정판)